佛语禅心

高僧山居诗

张培锋 主编

天津出版传媒集团

天津人民出版社

图书在版编目(CIP)数据

高僧山居诗 / 张培锋主编. —— 天津：天津人民出
版社, 2017.5
　(佛语禅心)
　ISBN 978-7-201-11666-2

　Ⅰ.①高… Ⅱ.①张… Ⅲ.①古典诗歌–诗集–中国
Ⅳ.①I222.72

中国版本图书馆 CIP 数据核字(2017)第 091231 号

佛语禅心·高僧山居诗

FOYUCHANXIN　GAOSENGSHANJUSHI

张培锋 主编

出　　版　天津人民出版社
出 版 人　黄　沛
地　　址　天津市和平区西康路 35 号康岳大厦
邮政编码　300051
邮购电话　(022)23332469
网　　址　http://www.tjrmcbs.com
电子信箱　tjrmcbs@126.com

策划编辑　沈海涛
　　　　　韩贵骐
责任编辑　伍绍东
装帧设计　汤　磊

印　　刷　河北鹏润印刷有限公司
经　　销　新华书店
开　　本　880×1230 毫米　1/32
印　　张　8.625
字　　数　140 千字
版次印次　2017 年 5 月第 1 版　2017 年 5 月第 1 次印刷
定　　价　48.00 元

出版说明

佛教在中国两千余年的发展过程中，早已经融入中华文明的发展进程，成为中国传统文化的重要组成部分。在漫长的发展中，涌现出大量的经典以及阐述佛理的文献和为数众多的诗文作品，这些文献一方面是重要的宗教史料，同时其中的很多篇章也是精美的文学作品，它们为中国古代文学的发展注入了新的精神和活力，丰富了古代文学的思想内涵、表现手法，在相当长的时期内，对于整个中国思想文化、社会习俗等，产生了强烈而深远的影响，不了解这些，也就无法真正了解中国古代的文化和文学。很多作品在今天读起来，也仍然具有生命力，富有情趣，可以丰富人们的精神生活，加深对博大精深的中国传统优秀文化的理解。为此，我们面向广大具有中等文化程度以上的读者，编撰了这套试图集中而全面地反映中国古代佛教文学发展面貌的作品集。作品收录的范围基本上涵盖了整个古代时期，个别文集下限到民国前期。

这部中国佛教文学作品集总名为"佛语禅心"，由天津大悲禅院智如方丈担任总策划，南开大学文学院张培锋教授担任主编，参与作品集编选工作的主要是南开大学文学院中国古代文学专业的博士生、硕士生。"佛语禅心"系列共计六册，具体编选注释者分别为：

1.《佛典撷英集》，张培锋选注

2.《佛经故事集》，王芳、王虹选注

3.《佛教美文集》，张培锋选注

4.《佛禅歌咏集》，孙可选注

5.《禅林妙言集》，吕继北、罗丹选注

6.《高僧山居诗》，张培锋整理

天津大悲禅院积极支持社会慈善和文化事业，为这部佛教文学作品选的编选和出版也提供了良好的条件。除智如方丈担任全书总策划并亲自写了"总序"之外，大悲禅院还为本书的出版提供了一定的资金支持。书稿在编辑过程中，经过国家权威部门的审定，并几经刊校，我们相信，它定将成为一部面向广大读者的优质的佛教文学读本。

编　者

2016 年 10 月

总　序

　　佛法浩瀚精深，微妙广大。在佛教近三千年的发展过程中特别是传入中国以后的两千余年中，涌现出数量巨大的经典文本和演绎佛法宗旨的文学作品，皆演说佛教精深广博的思想，抒发超尘越世之情怀，这些作品共同构成了汉传佛教的宝藏，而佛教文学则是这座宝藏中的一颗璀璨明珠。

　　佛教文学的概念可以分为狭义和广义两种。从狭义上说，只有佛教经典之中的文学创作才能叫做佛教文学作品，收于《大藏经》中的诸多佛陀本生、譬喻，乃至诸多大乘经典都堪称精美的文学作品；而从广义上说，既包括那些直接宣扬佛教教义的文学作品，也包括那些受到佛教某种影响，或者利用佛教题材以至在某些方面和佛教有关联的作品，都可以视为佛教文学创作。佛教传入中国以来，不仅历代高僧们翻译了大量富有文学价值的佛经，其他诸如古代高僧名士之间的诗文酬唱、论辩演说乃至一句一偈甚或禅门之一棒一喝，皆包含深厚的文学意蕴，是中国古代文学遗产中价值巨大的无数瑰宝中不可忽视的一部分。中土的佛门龙象、历代大德以及广大的信徒，继承并发扬了佛教本有的文学传统，在中国文化的背景

1

下，创造出数量众多、内容丰富、形式多样的佛教文学作品，其创作和传播之所以经久不衰，主要原因在于教团内外的广大信众对三世诸佛、诸大菩萨和佛陀教法有着强烈、热诚的信仰之心，文学创作则是表达这种信仰的极其方便、有效的手段。用这样的心灵创作出来的文学作品，必然是杰出的作品，因为它是从吾人真心自然流现出来的，所谓"心光朗照"，"法喜充满"。一个人在这种状态下写出的作品，较之那些矫揉造作的作品要高明很多。历史上很多高僧似乎并没有在文学方面投入太多精力，但是他们写出的作品却相当高明，甚至可以说难以企及，其道理即在于此。

比如佛典翻译文学中艺术水平相当高的"本生""譬喻"故事经典，不仅生动、风趣，而且具有普遍的训喻意义，它们赞美、宣扬了佛陀在无量的时空中自利利他、大慈大悲的伟大精神和勇于牺牲、济度有情的动人业绩，读来令人感动不已。大乘佛教经典的翻译更不乏《妙法莲华经》《维摩诘经》《首楞严经》等语言典雅、义理丰厚的精彩译笔，这些佛典本身已成为中国古代语言艺术的经典和宝库。唐宋以来，禅宗丛林以及好佛士大夫之中更有许多文学修养非常高的人。他们本来就能诗善艺，运用佛门偈颂等形式以及中国传统诗文手法，演说佛法，表达志向，即使从一般诗文艺术角度看，他们的文字也达到了相当高的水平，堪称清新隽永，字字珠玑，列于历史上优秀的文学作品之中而毫无逊色。佛门中的论辩、说理文字更是文字晓畅，析理透彻，议论滔滔，颇有气势，显示出高超的论辩技巧；禅门语录则随机说法，头头是道，也显示出禅门大德高超的语言技能。明清以来的清言小品乃至名山古刹之楹联对句,皆渗透着"超以象外"的禅意,参悟人生,得意忘言,灵犀一点,心照不宣。总之,佛教文学在整个中国古代文学发展和佛教自身发展中占有双重的重要地位,是中华传统文化的宝贵遗产之一,值得我们高度重视和珍惜。

天津大悲禅院近年来在扩建寺院、营造、建设良好的寺院环境的同时,也高度重视精神文化的建设,力求为弘扬祖国传统文化、为当代中国社会的健康发展和人们精神境界的提升做一些力所能及的奉献。有鉴于佛教文学的重要作用,我们诚邀长期致力于佛教文学研究、成果卓著的南开大学文学院博士生导师张培锋教授担纲,主持编辑一套中国佛教文学作品丛书,定名为"佛语禅心",参与编写者为南开大学主攻佛教文学专业的博士生、硕士生。按照全书的设计体例,本套丛书共包含 6 册,分别为:

1.《佛典撷英集》

从佛教藏经中选择出最精彩、最精华的佛经全文或段落,体现佛教经典文辞之精、义理之美。一册在手,了解最基本的佛法佛理。

2.《佛经故事集》

精选譬喻类、本生类、传记类等佛教典籍,揭示其中体现的佛理,阐扬大乘佛教之菩萨精神,同时体现翻译佛典对于中国古代叙事文学的深刻影响。

3.《佛教美文集》

精选历代僧俗阐发佛教之散文作品,包括论、序、记、赋、传、疏等各类文体,体现中国古人对佛教之深刻理解与发挥,展现佛教文道合一之精神。

4.《佛禅歌咏集》

精选历代僧俗阐发佛理之韵文作品,包括诗词、偈颂、歌赞等各类文体,以见佛教思想与中国古代诗歌的完美融合,展现佛教诗禅一体之精神。

5.《禅林妙言集》

精选禅门语录、灯录及格言、楹联等体裁作品,阐发其中的佛理禅意,既有明心见性之道,亦有为人处世之法,展现佛教真俗不二之宗旨。

6.《高僧山居诗》

以民国时期忏庵居士所编《高僧山居诗》为蓝本,对历代高僧山居诗详加注释,揭示其中深刻佛理,突出高僧大德绝尘离俗同时又融修行于日常生活之精神。

以上六册作品,基本涵盖了中国佛教文学的主要体裁和经典作品。编者对所选文本皆做了精细校勘和注释,力求简明扼要、准确无误而又深入浅出。通过文本的注释和解读,一方面揭示中国佛教文学的巨大成就,另一方面起到宣传和普及佛法的作用。本套丛书的这种设计、编撰思想应该说是很有新意的,期待它的出版能够为广大读者提供一份精美的精神食粮,也为促进和推进中国佛教文学的研究提供一种有益的帮助借鉴。

我们一向认为,佛教信仰是一种理智的信仰,绝非盲从迷信。要做到智信而非迷信,将佛教文学融入到佛陀教育之中是其中重要的一环。学佛必须明理,明理就需要逐渐提高学佛者的文化层次,让人们浸润其中,陶冶性情,潜移默化,选读佛教文学中这些精华的作品则是发挥这种作用的一种良好而有效的途径。张培锋教授和各位编写者为这部丛书的完成付出了巨大的精力和不懈的努力,在此深表谢意!是为序。

湛山门下　智如

2016 年 10 月 8 日农历九月初八

目录

贯休山居诗[1]

【注释】

[1]释贯休(832~912),唐末五代时期诗僧、画家。俗姓姜,字德隐,号禅月大师,婺州兰溪(今属浙江)人,生于官宦世家,7岁出家。唐末居杭州灵隐寺。钱镠称吴越王时,往投贺诗,有"满堂花醉三千客,一剑霜寒十四州"之句。钱镠有称帝野心,要他改"十四州"为"四十州",才肯接见,贯休回答说:"州亦难添,诗亦难改,余孤云野鹤,何天不可飞?"当日裹衣钵拂袖而去。至蜀,受到王建的礼遇。前蜀建国,赐号"禅月大师"。贯休善书法,工篆隶,尤以诗著名。善画佛像题材,所画罗汉像对后世影响巨大。有《禅月集》25卷,补遗1卷。《全唐诗》辑录其诗为12卷,存诗近七百首。

山居诗并序

序曰:愚咸通四五年[1]中,于钟陵[2]作《山居诗》二十四章。放笔,稿被人将去,厥后或有散书于屋壁,或吟咏于人口。一首两首,时时闻之,皆多字句舛错。泊乾符辛丑岁[3],避寇于山寺,偶全获其本。风调野俗,格力低浊,岂可闻于大雅君子?一日抽毫改之,或留之除之,修之补之,却成二十四首。亦斐然也,蚀木也,概山讴[4]之例也。或作者气合,始为一朗吟之可也。

【注释】

[1]咸通为唐年号,咸通四五年即公元863—864年,时贯休三十余岁。

[2]钟陵:唐宝应元年(762年)因避代宗李豫讳,以江西豫章县改名为钟陵,治今江西省南昌市,属洪州。

[3]乾符年号始于公元874年,共计六年,辛丑岁为881年,其时已为中和元年,贯休50岁。由此知《山居诗》二十四首,非一时之作,是历经多年修改而成。

[4]蚀木即朽木,山讴即山歌,皆言自己作品"风调野俗"之意。

[○○一]休话喧哗事事难,山翁只合住深山。数声清磬是非外,一个闲人天地间。[1]绿圃空阶云冉冉,异禽灵草水潺潺。无人与向群儒说,[2]岩桂枝高亦好攀。

【注释】

[1]"数声"两句:磬的声音清冷,与世间的纷扰是非隔绝,一个独立于天地之间的"闲人"实为最清醒冷静之人。许浑《送郑寂上人南行》:"儒家有释子,年少学支公。心出是非外,迹辞荣辱中。"在乱世之中,本来以儒为宗的士人们转向佛门,回归自然,求得心地的安宁。

[2]这一句《唐诗纪事》作"无人为向君王道","君王"与"群儒"皆指世俗之道。

[○○二]难是言休便即休,清吟孤坐碧溪头。[1]三间茆屋无

2

人到,[2]十里松阴独自游。明月清风宗炳社,[3]夕阳秋色庾公楼。[4]
修心未到无心地,[5]万种千般逐水流。

【注释】

[1] 人是有发表欲的,有时不让人说话(言休)是很难的事情,但是此刻已无话可说,那就不说了(便即休),只是独自坐在溪水边吟诵诗篇,难言之言、言外之意皆在诗中而已。此句道尽山居诗所由起之根源。

[2]"茆"同"茅"。《二十四诗品·典雅》:"玉壶买春,赏雨茆屋,坐中佳士,左右修竹。"贾岛《过杨道士居》:"先生修道处,茆屋远嚣氛。"陆游《冬夜读书》:"茆屋三四间,充栋贮经史。"茆屋是简陋的,但有了僧人、道士、文人们的这种文化趣味,就有了一种雅意,儒道佛皆然。

[3]宗炳(375~443),南朝时著名佛教居士,工画善琴,结庐于山中。曾作《明佛论》,宣扬佛理,入慧远庐山莲社,修习净土,为"庐山十八贤"之一。宗炳社即后世传说之莲社,代指共同修习佛法之友侣。

[4]庾公楼又名庾楼,相传为晋庾亮镇江州时所建。《世说新语·容止》:"庾太尉(亮)在武昌,秋夜,气佳景清,使吏殷浩、王胡之之徒登南楼,理咏,音调始遒,闻函道中有屐声甚厉,定是庾公。俄而率左右十许人步来,诸贤欲起避之。公徐云:'诸君少住,老子于此处兴复不浅。'因便据胡床,与诸人咏谑,竟坐,甚得任乐。"

[5]"修心"句:佛教认为,有心修行仍属有为法,并非究竟,只有达到无心的境界,方为真修行。参看《成唯识论证义》

卷四："若就真实义门,则唯无余依涅槃界中,诸心皆灭,名无心地,余位由无诸转识故,假名无心。由第八识未灭尽故,名有心地。"

[〇〇三]好鸟声长睡眼开,好茶擎乳坐莓苔。[1]不闻荣辱成番尽,只见黑熊作队来。[2]诗理从前欺白雪,[3]道情终遣似婴孩。[4]由来此事知音少,不是真风去不回。[5]

【注释】

[1]擎乳:举着乳糜。当年释迦牟尼受善生女供养后而觉悟成佛,经中有"擎乳糜钵"的记载,好茶亦如同乳糜,有无尽法味。贯休《春游凉泉寺》:"云堑含香啼鸟细,茗瓯擎乳落花迟。"又《书倪氏屋壁》诗之一:"茶烹绿乳花映帘,撑沙苦笋银纤纤。"白居易《萧员外寄新蜀茶》:"满瓯似乳堪持玩。"皆可参。

[2]黑熊:《诗·小雅·斯干》:"吉梦维何,维熊维黑"古人认为梦见熊黑是吉祥的征兆。这两句的含义是:人们不懂得性空之理,常常做着荣华富贵等美梦,陷于梦中而不能觉悟。

[3]欺:胜过。又如齐己《夏日作》:"竹众凉欺水,苔繁绿胜莎。"白雪,谓阳春白雪,代表高雅。

[4]道情:修道的心。《老子》第十章:"载营魄抱一,能无离乎?专气致柔,能如婴儿乎?"《大般涅槃经》有《婴儿行品》,谓:"云何名婴儿行?善男子,不能起、住、来、去、语言,是名婴儿,如来亦尔。不能起者,如来终不起诸法相;不能住者,如来不著一切诸法;不能来者,如来身行无有动摇;不能去者,如来已到大般涅槃;不能语者,如来虽为一切众生演说诸法,实无所

4

说。"《世说新语·文学》注引《安法师传》:"竺法汰者,体器弘简,道情冥到。"

[5]真风:淳朴的风俗。陶渊明《感士不遇赋》:"自真风告逝,大伪斯兴。"

[○○四]万境忘机是道华,[1]碧芙蓉里日空斜。幽深有径通仙窟,寂寞无人落异花。掣电浮云真好喻,[2]如龙似凤不须夸。[3]君看江上英雄冢,只有松根与柏槎。[4]

【注释】

[1]忘机:忘掉机心。《庄子·天地》:"吾闻之吾师,有机械者必有机事,有机事者必有机心。机心存于胸中,则纯白不备。"

[2]佛教认为世间一切皆幻,用很多比喻来说明。如《维摩所说经·方便品》言"是身无常、无强、无力、无坚",举十种喻:"如聚沫,如泡,如炎,如芭蕉,如幻,如梦,如影,如响,如浮云,如电。"

[3]如龙似凤喻世间富贵之人,以佛法观之,没有什么好夸耀的。

[4]槎(chá):同"茬"。最后两句通过抒发历史兴亡之感,进一步揭示佛教认为世间一切皆空的思想。这种写法在古代诗歌中非常普遍,如刘禹锡《西塞山怀古》中的"人世几回伤往事,山形依旧枕寒流"、包佶《再过金陵》中的"江山不管兴亡事,一任斜阳伴客愁"等等。山河大地、日月星辰乃至松根与柏槎这些大自然无情之物,反衬着人世间争斗的无谓。

[○○五]鞭后从他素发兼，[1]涌清奔碧冷侵帘。[2]高奇章句无人爱，澹泊身心举世嫌。[3]白石桥高吟不足，红霞影暖卧无厌。居山别有非山意，莫错将予比宋纤。[4]

【注释】

[1]鞭后：《庄子·达生》："善养生者，若牧羊然，视其后者而鞭之。威公曰：何谓也？田开之曰：鲁有单善豹者，岩居而水饮，不与民共利，行年七十而犹有婴儿之色，不幸遇饿虎，饿虎杀而食之。有张毅者，高门县薄，无不走也，行年四十而有内热之病以死。豹养其内而虎食其外，毅养其外而病攻其内。此二子者，皆不鞭其后者也。"素发，白发。钱起《省中春暮酬嵩阳焦道士见招》："流年催素发，不觉映华簪。"这一句是说：无论多么善养生的人也避免不了头上生白发，所以只能"从他"即随缘而已。修习佛法不是以养生为根本目的的原因即在于此，因为这些不能真正决定生老病死。

[2]"涌清"句：是说时光如流水奔逝，即所谓"逝者如斯"。

[3]"高奇章句"两句：是说佛教的义理高深，学佛者不与世事，很难被一般人所理解。

[4]"居山"两句：宋纤为晋代隐士。《晋书·宋纤传》载，宋纤隐居不仕，太守马岌造访不见，叹曰："名可闻，而身不可见；德可仰，而形不可睹。吾而今而后知先生人中之龙也。"把宋纤比喻为人中龙，说他虽然隐居，但胸怀大志。后宋纤在八十岁时出山为太子太傅。这句诗是说，虽然我表面的行迹与宋纤类似，但是内心完全不同，从而揭示了两种隐居的不同内涵，故说"居山别有非山意"。

[○○六]鸟外尘中四十秋,亦曾高挹汉诸侯。[1]如斯标致虽清拙,大丈夫儿合自由。[2]紫术黄菁苗蕺蕺,[3]锦囊香麝语啾啾。终须心到曹溪叟,[4]千岁楮根雪满头。[5]

【注释】

[1]挹:同揖,高挹即揖游。汉诸侯,指代晚唐时期各地割据幕府。高挹汉诸侯,指自己也曾经周旋于这些诸侯之间,即所谓"尘中"。

[2]合:应当。大丈夫是儒家推崇的一种高尚人格,如《孟子·滕文公下》所说:"富贵不能淫,贫贱不能移,威武不能屈,此之谓大丈夫。"禅宗继承了这一点,并将追求自由自在的人生视为"大丈夫"的内涵之一。

[3]紫术黄菁(黄菁又作黄精)皆为仙家推崇的仙草灵药,贯休《了仙谣》"紫术黄精心上苗"可作旁证。蕺蕺(jí):形容药草茂盛的样子。

[4]曹溪:在广东曲江东南双峰山下,禅宗六祖惠能传法之地,曹溪叟即指惠能,表达了对禅宗祖师的崇敬和向往。

[5]楮(zhū):一种常绿乔木,叶为长椭圆形,花黄绿色,果实球形,木材坚硬。千岁楮根比喻经过长年修行,获得彻底觉悟的境界。

[○○七]慵甚嵇康竟不回,何妨方寸似寒灰。[1]山精日作童儿出,[2]仙者时将玉器来。筇帚扫花惊睡鹿,地炉烧树带枯苔。不行朝市多时也,许史金张安在哉![3]

[1]"慵甚"句：晋代名士嵇康的慵懒是出名的，比如他的《与山巨源绝交书》中说"每常小便而忍不起"，连小便都希望有人替代。从世俗看，这似乎太过消极，但从出世法看，是因为他的心(方寸)如死灰，即没有任何欲望和追求了。

[2]山精：指山间的怪兽。萧绎《金楼子》谓："山精如小儿而独足。"孟浩然《游明禅师西山兰若》谓："谈空对樵叟，授法与山精。"佛教认为，一切众生本来平等，故山精与人类一样，也是可以学佛法的。

[3]许史金张：许史为汉宣帝时外戚许伯和史高的并称，金张则为汉时金日磾、张安世的并称。据说他们子孙相继，七世荣显，后世常用他们指代豪门显宦，庾信《哀江南赋》："见钟鼎于金张，闻弦歌于许史。"

[〇〇八]心心心不住希夷，[1]石屋巉岩鬒发垂。养竹不除当路笋，[2]爱松留得碍人枝。焚香开卷霞生砌，卷箔冥心月在池。[3]多少故人头尽白，不知今日又何之？

【注释】

[1]希夷：虚寂玄妙。《老子》第十四章："视之不见名曰夷，听之不闻名曰希。"河上公注："无色曰夷，无声曰希。"佛教认为真心是无声无色的。

[2]"养竹"句：《唐诗纪事》卷七十五此句作"惜竹不除当路笋"。

[3]箔(bó)：用苇子、秫秸等做成的帘子。这句是说打开竹帘，让月光透入屋内，冥心静坐，有如清净的池水中映入一轮明月，心境与外境冥合为一。

[〇〇九]龙藏琅函遍九垓，[1]霜钟金鼓振琼台。堪嗟一句无人得，遂使吾师特地来。[2]无角铁牛眠少室，[3]生儿石女老黄梅。[4]令人转忆庞居士，天上人间不可陪。[5]

【注释】

[1]相传龙树曾入龙宫取得《华严经》，故用龙宫的经藏指佛家经典。《太清虚皇玉景经》有"琅函琼笈秘始清"的句子，杨慎《艺林伐山·仙经》："琼文、藻笈、琳篆、琅函、皆指道书也。"九垓(gāi)即九州。这句是说佛教和道教的典籍遍布九州大地。

[2]"堪嗟"两句：吾师指中国禅宗初祖菩提达摩。这两句是说，尽管佛教经典早已流传，但其微妙的义理无人能解，所以菩提达摩要从印度来到中国。"特地"，特意。《古尊宿语录》卷三十一："诸圣由兹而出现，达磨特地而西来。"

[3]无角铁牛亦指在河南少室山面壁九年的菩提达摩。达摩开悟破壁，神力如铁牛，人而无牛角，故称无角铁牛。

[4]"生儿石女"句：暗指在湖北黄梅弘扬禅法的五祖弘忍禅师的神奇身世传说。最早详尽记载此传说的是宋代惠洪编著的《林间录》卷上。弘忍前生为破头山中的栽松道者，曾经向四祖道信请教佛法。道信说："你已经这么老了，能够承担传播禅法的重任吗？"栽松道者默默走开。经过水边处，看到一个女

子正在洗衣,他就问女子:"能够借宿吗?"女子点头答应了。结果这个周姓女子回到家就怀孕了,家里将她赶了出来。后来女子生了一个男孩,从小随母乞食,里人呼为无姓儿,这个男孩儿就是后来的五祖弘忍,其后拜道信为师,大弘禅法。由贯休此诗可见,这一传说至晚在晚唐时已经产生。

[5]庞居士为唐代著名佛教居士庞蕴,曾从马祖道一等禅师学习禅法。他虽然没有出家,但已经开悟,过着洒脱逍遥的生活,临终前说偈坐化。这两句由弘忍禅师的传说转而想到庞居士,都是说那些已勘破生死的禅宗学人的洒脱自在。"不可陪"的"陪"是跟随的意思,是说陷于生死幻境中的凡夫是无法跟随他们的。

[〇一〇]五岳烟霞连不断,三山洞穴去应通。[1]石窗敧枕疏疏雨,水碓无人浩浩风。[2]童子念经深竹里,猕猴拾虱夕阳中。[3]因思往事抛心力,六七年来楚水东。

【注释】

[1]与"五岳"相对的"三山"通常指传说中的海上三神山,即方壶、蓬壶、瀛壶。

[2]敧(qī):斜靠着。碓(duì):古代用于捣米的器具。

[3]这一联古人曾讨论过。范晞文《对床夜语》谓:"'枫根支酒瓮,鹤虱落琴床。'贯休诗也。'鹤虱'两字,未有人用。又'童子念经深竹里,猕猴拾虱夕阳中',亦生。"但这不是批评,而是一种肯定,所谓"生",即语言与联想的奇特。"童子念经"与"猕猴拾虱"相对,更见佛教禅宗"触处皆道"的思维方式。

[〇一一]尘埃中更有埃尘,[1]时复双眉十为颦。[2]赖有年光飞似箭,是何心地亦称人。[3]回贤参孝时时说,蜂虿狼贪日日新。[4]天意刚容此徒在,不堪惆怅不堪陈。[5]

【注释】

[1]"尘埃"句:演绎大小互容、长短相即、重重无尽的佛教宇宙观。按照佛教的认识,三千大千世界可以碎为微尘,微尘可以碎为极微尘,微尘中又有微尘。如《华严经》所说:"一微尘里转大法轮,一毫端现十方刹土。"这都是讲心性的至大无外境界。

[2]"时复"句:是说未觉悟的众生不明此理,常常因世间的生老病死等幻象而皱眉,喻指生起种种烦恼。

[3]"赖有"两句:前面是从空间上说,这两句是从时间上说。"年光飞似箭"也是一种幻象,就一真法界而言,时空是如如不动的,也就是每个人当下即有的真心。不明此"心",怎么能称得上是真正的"人"呢?

[4]"回贤参孝"句:是说儒门也重视心性的修为,颜回的贤德与曾参的孝道就是代表。但是由于儒门所说的"心"是指凡夫的妄心,而不明此"心"的本体是那个至大无外的真心,其结果就是"回贤参孝时时说,蜂虿狼贪日日新"。虿(chài),一种毒虫。"蜂虿狼贪"指人心的狠毒贪婪。仁义道德总是在提倡,但蜂虿狼贪之辈从来没有减少过,而且与时俱进,变本加厉,可见不明大道,只提倡仁义道德其实是无效的。这两句也要合在一起看方能明了其中的妙义,体现了典型的禅宗思维

11

方式。

[5]刚：是"硬"的意思，引申为"偏偏"；"此徒"指那些"蜂虿狼贪"之辈。

[〇一二]翠窦烟岩画不成，桂华瀑沫杂芳馨。拨霞扫雪和云母，掘石移松得茯苓。[1]好鸟傍花窥玉磬，嫩苔和水没金瓶。从他人说从他笑，地覆天翻也只宁。[2]

【注释】

[1]这首诗前几句勾勒出一组山居生活的画面。云母，应指云母竹，与下一句的"茯苓"相对，两者皆为长生仙药。《初学记》卷二八引郭义恭《广志》："云母竹，大竹也。"皮日休《洛中寒食》诗："洛水万年云母竹，汉陵千载野棠花。"

[2]"从他"两句：是说任凭世人去说笑，俗世的地覆天翻也干扰不了心地安宁的山居生活。

[〇一三]腾腾兀兀步迟迟，兆朕消磨只自知。[1]龙猛金膏虽未作，[2]孙登土窟且相宜。[3]薜萝山帔偏能湄，[4]橡栗年粮亦且支。[5]已得真人好消息，人间天上更无疑。

【注释】

[1]腾腾兀兀：恍恍惚惚状。白居易《题石山人》："腾腾兀兀在人间，贵贱贤愚尽往还。"兆朕指形体。两句言山居生活的"慢"。

[2]"龙猛"句：用龙猛笔的典故。贯休《禅月集》卷四《拟君

子有所思》诗之二:"安得龙猛笔,点石为黄金。"下有可能出自贯休本人的小字注:"西岳龙猛大士,于砚中磨药,点笔成金。西天有龙猛金,其色紫。""龙猛"即龙树的别译。

[3]孙登为晋朝隐士。《晋书·隐逸传》载:"孙登,字公和,汲郡共人也。无家属,于郡北山为土窟居之,夏则编草为裳,冬则被发自覆。好读《易》,抚一弦琴,见者皆亲乐之。"这两句是说虽然没有能够点笔成金的龙猛笔,但是像孙登那样住在土窟则是可以做到的。

[4]薜萝:薜荔和女萝,皆野生植物,常攀缘于山野林木或屋壁之上。《楚辞·九歌·山鬼》:"若有人兮山之阿,被薜荔兮带女萝。"帔(pèi):披在肩背上的服饰。湄:通"媚"。

[5]橡栗:栎树的果实,可食。《庄子·盗跖》:"昼拾橡栗,暮栖木上,故命之曰有巢氏之民。"两句形容在山中过着朴野的生活。

[○一四]岚嫩风轻似碧纱,雪楼金像隔烟霞。葛苞玉粉生香垄,菌簇银钉满净楂。[1]举世只知嗟逝水,无人微解悟空花。[2]可怜扰扰尘埃里,双鬓如银事似麻。

【注释】

[1]楂:树木砍伐后残留的根株。这两句皆写植物,引出下面的"悟空花"。

[2]"举世"两句:如所谓"子在川上曰:'逝者如斯夫!不舍昼夜'"(《论语·子罕》),感叹时光如流水般逝去,一去不复返,这是常人都能生发的感叹。但很少有人能够觉悟到,"逝水"与

"空花"这两种现象的同一性。所谓空花是指隐现于病眼者视觉中的繁花状虚影,比喻纷繁的妄想和假相。《楞严经》卷四说:"亦如翳人,见空中华;翳病若除,华于空灭。忽有愚人,于彼空华所灭空地,待华更生;汝观是人,为愚为慧?"当我们感叹时光流逝的时候,时光已经又悄然流逝,所以佛教认为,并非过去的(逝者)才空,而是当下即空,所谓"真花"也是"空花"。"当下即空"这一点就是一般人很难理解和接受的,所以扰扰尘埃,无休无止,众生的轮回相由此产生。这才是贯休禅师极为感叹的事情。斩断生死之流也在当下,所谓"知幻即离,不作方便;离幻即觉,亦无渐次"(《圆觉经》)。

[〇一五]千岩万壑路倾攲,杉桧蒙蒙独掩扉。劚药童穿溪罅去,[1]采花蜂冒晓烟归。闲行放意寻流水,静坐支颐到落晖。[2]长忆南泉好言语,如斯痴钝者还稀。[3]

【注释】

[1]劚(zhú):挖掘。罅(xià):缝隙。

[2]颐(yí):面,腮。支颐形容闲适貌,这几句皆写山居闲在的景况。

[3]南泉普愿禅师,马祖道一弟子,唐代中期著名禅僧。《禅月集》卷二十三此句下有小字注:"南泉大师云:学道之人,痴钝者难得。"禅宗认为,聪明伶俐的人妄想更多,反而不如痴钝者道心坚定。南泉这句话应该对贯休产生了重要影响。

[〇一六]一庵冥目在穹冥,[1]菌枕松床藓阵青。乳鹿暗行桎

径雪,[2]瀑泉微溅石楼经。[3]闲行不觉过天井,[3]长啸深能动岳灵。应恐无人知此意,非凡非圣独醒醒。[4]

【注释】

[1]穹冥:苍天。

[2]柽(chēng):柽柳,一种灌木,又称"三春柳""红柳"。这几句写融入大自然,与自然为邻的山居生活。

[3]天井:星名,即井宿。陆机《挽歌》之一:"侧听阴沟涌,卧观天井悬。"

[4]屈原自称"众人皆醉我独醒"(《楚辞·渔父》)。白居易《效陶潜体十六首》中比较屈原和陶渊明说:"一人常独醉,一人常独醒。醒者多苦志,醉者多欢情。"显然更欣赏陶渊明的"独醉"。本诗"非凡非圣独醒醒"则包含了更深层的辩证,"醒醒"是既非醉,也非醒,既非凡,也非圣,这应该是禅僧的一种独特人生观。

[〇一七]慵刻芙蓉传永漏,[1]且夸丽藻鄙汤休。[2]且为小囤盛红粟,[3]别有珍禽胜白鸥。拾栗远寻深涧底,弄猿多在小峰头。不能更出尘中也,百炼刚为绕指柔。[4]

【注释】

[1]慵:慵散。刻:时间。永漏:漫长的时间。全句意为:慵散舒闲的时间感觉过得很慢。

[2]汤休:即汤惠休,南朝诗僧,人称惠休上人,诗风华美流畅。

[3]囤(dùn):用竹篾、荆条等编织成的或用席箔等围成的

存放粮食等农产品的器物。

[4]百炼句:化用西晋诗人刘琨《重赠卢谌》中的句子"何意百炼刚,化为绕指柔"。《文选》吕延济注:"百炼之铁坚刚,而今可绕指。自喻经破败而至柔弱也。""绕指柔"通常比喻坚强者经过挫折而变得随和软弱。这里是说,经过长期修炼,心性变得柔顺。

[〇一八]业薪心火日烧煎,[1]浪死虚生自古然。[2]陆氏称龙终妄矣,[3]汉家得鹿更空焉。[4]白衣居士深深说,青眼胡僧远远传。[5]刚地无人知此意,[6]不堪惆怅落花前。

【注释】

[1]"业"是佛教重要概念,"造作"之意,指众生由意志(心)所引发的各种活动以及由过去的行为延续下来而形成的力量,这种力量就像薪火相传一样不断延续,所以称为"业薪心火"。

[2]"浪死"句:生死本为幻相,但不觉悟的众生在此幻相中浪死虚生已无数年头。

[3]陆氏指西晋文学家陆云,字士龙。《晋书·陆云》传载,他与荀隐相见时,"抗手曰:'云间陆士龙。'隐曰:'日下荀鸣鹤。'"一时传为美谈。陆云与其兄陆机皆善文辞,"文藻宏丽,独步当时;言论慷慨,冠乎终古。高词迥映,如朗月之悬光;叠意回舒,若重岩之积秀"。但两人最终皆被杀。

[4]得鹿:取得天下。《史记·淮阴侯列传》:"秦失其鹿,天下共逐之,于是高材疾足者先得焉。"淮阴侯韩信善于征战,但最

终也死于非命。上一句言文才,这一句言武功,两者皆不足恃。

　[5]印度和西域出家人穿缁衣,在家人则穿白衣,故称"白衣居士"。这两句是说无论是出家人还是在家信佛者,皆在演说、传播着佛法。

　[6]刚地:偏偏,硬是。

　[〇一九]露滴红兰玉满畦,闲拖象屧到峰西。但令心似莲花洁,何必身将槁木齐。[1]古堑细香红树老,半峰残雪白猿啼。虽然不是桃花洞,春至桃花亦满溪。[2]

【注释】

　[1]槁木:干枯的树木。《庄子·齐物论》:"形固可使如槁木,而心固可使如死灰乎?"两句是说,如果心能够像莲花一样出污泥而不染,就不必像毫无生机的槁木一样,真正的禅心是活泼泼的。

　[2]"桃花洞",一本作"桃源洞",解者或谓:虽然所住不是陶渊明笔下的桃花源,但其实不必这样拘泥和坐实。两句是说,所住的洞中本无桃花,但洞外的桃花随春水飘入洞中,使洞中充满春意。

　[〇二〇]自休自已自安排,[1]常愿居山事偶谐。[2]僧采树衣临绝壑,狨争山果落空阶。[3]闲担茶器缘青障,静衲禅袍坐绿崖。虚作新诗反招隐,出来多与此心乖。[4]

【注释】

[1]"自己",《禅门诸祖师偈颂》作"自了",含义相同。三个"自"即《六祖坛经》所谓"见自性清净,自修自作法身,自行佛行,自成佛道",一切都是自然而然,不必安排。

[2]偶谐:自然和谐。《景德传灯录》卷录庞居士偈:"日用事无别,唯吾自偶谐。头头非取舍,处处勿张乖。朱紫谁为号,丘山绝点埃。神通并妙用,运水及搬柴。"

[3]狖(yòu):一种猴子,黄黑色,尾巴很长。

[4]晋代王康琚作《反招隐诗》,中有"小隐隐陵薮,大隐隐朝市"等句子,认为真正的隐居不一定在深山中。此句是说,这样的认识也不可以执着,否则便成为一种"安排"。事实上,那些所谓"隐朝市"的人大多是"与此心乖"的,不过成为流于世俗的一种借口。

[○二一]石炉金鼎红蕖嫩,[1]香阁茶棚绿巘齐。[2]坞烧崩腾奔涧鼠,岩花狼藉斗山鸡。蒙庄环外知音少,[3]阮籍途穷旨趣低。[4]应有世人来觅我,水重山叠几层迷。

【注释】

[1]红蕖:红色荷花。

[2]巘(yǎn):大小成两截的山。

[3]蒙庄:庄子,庄子为战国时蒙人。"环外"相对于"环中"。《庄子·齐物论》:"彼是莫得其偶,谓之道枢。枢始得其环中,以应无穷。""环中"用来比喻无是非之地,环外则指有是非之地。这句是说,庄子在那些是非之地是没有知音的并用以自况。

[4]《晋书·阮籍传》说:阮籍"时率意独驾,不由径路,车迹所穷,辄痛哭而返"。用来表示哀伤和绝望。贯休认为这是一种旨趣较低的人生态度。从诗意看,作者应该更欣赏王维的那种"行到水穷处,坐看云起时"的境界。

[〇二二]自古浮华能几几,[1]逝波终日去滔滔。汉王废苑生秋草,吴主荒宫入夜涛。满屋黄金机不息,[2]一头白发气犹高。岂知知足金仙子,[3]霞外天香满毳袍。[4]

【注释】
[1]几几:几许,多少。
[2]机不息:机巧功利的心不能停息。
[3]岂知句:金仙指佛,金仙子为佛子,指僧人。
[4]毳(cuì)袍:毛制的僧袍。

[〇二三]如愚何止直如弦,[1]只合深藏碧嶂前。[2]但见山中常有雪,不知世上是何年。野人爱向庵前笑,赤貜频来袖畔眠。[3]只有逍遥好知己,何须更问洞中天。

【注释】
[1]直如弦:像弓弦一样直,喻为人正直。《后汉书·五行志》:"顺帝之末,京都童谣曰:'直如弦,死道边。曲如钩,反封侯。'"
[2]碧嶂:青绿色如屏障的山峰。李白《忆襄阳旧游赠马少府巨》:"开窗碧嶂满,拂镜沧江流。"

19

[3]獦(jué)：一种大猴子。

[○二四]支公放鹤情相似，[1]范泰论交趣不同。[2]有念尽为烦恼相，无私方称水晶宫。香焚薝卜诸峰晓，[3]珠掐金刚万境空。若买山资言不及，[4]恒河沙劫用无穷。[5]

【注释】

[1]支公指支遁，字道林，东晋僧人。《世说新语·言语》载："支公好鹤，住剡东岇山。有人遗其双鹤，少时翅长欲飞。支意惜之，乃铩其翮。鹤轩翥不复能飞，乃反顾翅，垂头视之，如有懊丧意。林曰：'既有凌霄之姿，何肯为人作耳目近玩？'养令翮成，置，使飞去。"

[2]范泰：晋宋间大臣，晚年学佛。此处用典应出自《艺文类聚》卷九十所载范泰《鸾鸟诗序》，全文为："昔罽宾王结罝峻卯之山，获一鸾鸟，王甚爱之，欲其鸣而不致也。乃饰以金樊，飨以珍羞，对之愈戚，三年不鸣。其夫人曰：'尝闻鸟见其类而后鸣，何不悬镜以映之？'王从其意。鸾睹形悲鸣，哀响中宵，一奋而绝。嗟乎兹禽！何情之深。昔钟子破琴于伯牙，匠石韬斤于郢人，盖悲妙赏之不存，慨神质于当年耳，矧乃一举而殒其身者哉，悲夫！"文中提到"妙赏之不存"即所谓论交。鸾鸟事与支公放鹤事正好相对，故曰"趣不同"。两典相映，体现出诗人追求逍遥自由的情怀。

[3]薝卜(zhān bǔ)：一种花的梵文译名，意译为郁金花，可以制成香。卢纶《送静居法师》："薝卜名花飘不断，醍醐法味洒何浓。"

[4]《世说新语·排调》载:"支道林因人就深公买印山,深公答曰:'未闻巢由买山而隐。'"后以"买山"喻贤士的归隐。刘禹锡《游桃源一百韵》:"买山构精舍,领徒开讲席。"

[5]恒河沙粒至细,其量无法计算,佛教常用来形容无法计算之数。这两句是说:如果说到山居的费用,常常是不足的,但是那种超脱世情的精神力量如恒河沙一样是无穷无尽的。

永明山居诗[1]

【注释】

[1]释延寿(904~975),五代宋初高僧。自幼信佛,戒杀放生。曾任余杭库吏、华亭镇将,30岁从龙册寺翠岩禅师出家。本为禅宗法眼宗第三代师,因主张念诵阿弥陀佛名号,且非常精进,日课佛号数万声,作《四料简》,提倡禅净双修,又为净土宗第六代祖师。因住于杭州永明寺,人称永明大师。著有《宗镜录》一百卷、《万善同归集》三卷、《心赋注》四卷等。

有关永明延寿《山居诗》六十九首,陈尚君先生有过考订和说明,见《全唐诗补编·全唐诗续拾》卷四十六(中华书局,1992年,第1437页),认为此组诗为永明延寿佚诗无疑。《全宋诗》第一册亦收录了这组山居诗。

[〇二五]此事从来已绝疑,[1]安然乐道合希夷。[2]依山偶得还源旨,[3]拂石闲题出格诗。[4]水待冻开成细溜,薪从霜后拾枯枝。因兹永断攀缘意,[5]誓与青松作老期。

【注释】

[1]绝疑:对佛教所说真理没有任何怀疑,这是学佛学禅的要旨。这组山居诗第一首第一句便有点题的作用。绝什么疑?参看永明大师《宗镜录》卷三十三这段阐述:"即事辩真,从凡

见道。目前现证,可以绝疑。去法既然,乃至六趣轮回,四时代谢,皆是不迁,常住一心之道。"山居的生活平平常常,但皆含有真意,这便是"从凡见道",能够见道,才会有下一句的"安然乐道"。

[2]希夷:参看贯休"心心心不住希夷"[○○八]诗注。

[3]还源旨:恢复自己本有真心的方法和途径。赞宁《宋高僧传·护法·唐朗州药山惟严》:"大抵谓本性明白,为六情玷污,迷而不返,今牵复之,犹地雷之复见天地心矣,即内教之返本还源也。"

[4]出格诗:如中唐时张籍《酬秘书王丞见寄》诗所谓"今体诗中偏出格",即不完全按照近体诗的格律作诗。这两句是说,这些"出格诗"其实就是"还源旨"。

[5]攀缘:指凡夫之心执著于某一对象,时常攀缘外境,随外境而转,没有一刻宁静,佛教认为这是一切生死烦恼的根源,永断攀缘也就是能够还源。

[○二六]古树交盘簇径深,阒无人到为难寻。[1]只和算计千般事,谁解消停一点心?[2]冻锁瀑声中夜断,云吞岳影半天沉。寒灯欲绝禅初起,[3]透牖疏风触短襟。

【注释】

[1]阒(qù):寂静。诗人住在寂静无人能够找到的地方。

[2]"只和"句:承上一首"永断攀缘意"而来。只要让那个千般算计的攀缘心停息下来,那个如如不动的真心就能显露。

[3]禅初起:从禅定中出来。

[○二七]祇园闲适乐箪瓢,[1]莫讶烟霞道路遥。龙穴定知潜碧海,鹏程终是望丹霄。[2]拨云岩下来泉脉,嚼草坡边辨药苗。门锁薜萝无客至,庵前时有白云朝。

【注释】

[1]祇,依《全宋诗》第一册第19页。《全唐诗补编》此句"祇园"作"只(祇)图",应是形近之讹。祇(qí)园,全称"祇树给孤独园",印度佛教圣地之一,释迦牟尼曾长期在此宣讲佛法,后用来代指佛寺。箪瓢用孔子弟子颜回事,即《论语·雍也》所说:"一箪食,一瓢饮,在陋巷,人不堪其忧,回也不改其乐。贤哉回也!"这句诗体现出永明禅师融汇儒释两教的精神,即:佛寺中的闲适生活与孔颜之乐是相通的。如作"只图"则缺乏了这层含义,且"只图"本身就包含了一种攀缘的意味,与禅师思想不合。

[2]丹霄:绚丽的天空,苍天。《北堂书钞》载贾谊诗:"青青云寒,上拂丹霄。"

[○二八]贪生养命事皆同,[1]独坐闲居意颇慵。入夏驱驰巢树鹊,经春劳役探花蜂。石炉香尽寒灰薄,铁磬声微古锈浓。寂寂虚怀无一念,任从苍藓没行踪。

【注释】

[1]这一句是说众生牢固的习气,即贪生养命,这是诗人闲坐观物时所感。下面"入夏""经春"两句即具体写这种"贪生养

24

命"的习气，苏轼所谓"长恨此身非我有，何时忘却营营"。

[〇二九]心地须教合死灰，藏机泯迹绝梯媒。[1]芳兰只为因香折，良木多从被直摧。[2]寒逼花枝红未吐，日融水面绿全开。支颐独坐经窗下，一片云闲入户来。

【注释】

[1]梯媒：荐引，指攀缘世事。

[2]唐代李咸用《依韵修睦上人山居十首》有"畹兰未必因香折，湖象多应为齿焚"的句子。

[〇三〇]达来何处更追寻，放旷谁论古与今。风带泉声流谷口，云和山影落潭心。资身自有衣中宝，[1]济世谁藏室内金。[2]策杖偶来林下坐，鸟声相和唱圆音。

【注释】

[1]衣中宝：为《妙法莲华经·五百弟子授记品》中一个著名譬喻：一个人在亲友家醉酒而卧，亲友忽有官事要离开，便将一个无价宝珠系在他的衣服里，与之而去，其人醉卧而不觉知。他醒来后，到了其他国家，为求得衣食，备受艰难，若稍有得，便以为足。后来遇到亲友，亲友告诉他：本来有一颗无价宝珠一直戴在他身边，只是他不知道而已。这里，亲友喻佛，醉酒者喻众生，无价宝珠喻佛性，为求衣食，备受艰难喻流浪生死。

[2]室内金：据《晋书·艺术传》、干宝《搜神记》卷三等记载，晋朝隗照善《易经》，预测到自己死后会有大灾荒，为避免妻子

受苦,预先在室内埋 500 斤黄金,"藏金以待太平"。五年后,妻子按照其交代的遗嘱,找到了这些金子。

[〇三一]事多兴废莫持论,唯有禅宗理可尊。似讷始平分别路,如愚方塞是非门。[1]刳肠只为生灵智,[2]剖舌多因强语言。争似息机高卧客,年来年去道长存。

【注释】
[1]讷(nè):语言迟钝。这两句是说,有些看上去似乎笨拙愚痴的人其实真正远离了分别和是非。
[2]刳(kū):剖开,挖开。

[〇三二]碧峤经年常寂寂,[1]更无闲事可相于。[2]超伦每效高僧行,得力难忘古佛书。落叶乱渠凭水荡,浮云翳月倩风除。[3]方知懒与真空合,一衲闲披憩旧庐。

【注释】
[1]峤:山路。
[2]相于:亲近,相关。"闲事"指世俗之事。
[3]翳(yì):遮蔽。倩风:好风,清风。

[〇三三]幽斋独坐绝参详,[1]兀尔何如骤世忙。拯济终凭宏愿力,[2]安闲须得守愚方。柴门半掩花空落,苔径虚踪草自荒。最好静中无一事,翛然唯得道芽长。[3]

【注释】

[1]参详:思虑,思量。《敦煌变文集·频婆娑罗王变文》:"心头托首细参详,世事从来不久长。"

[2]"拯济"句:愿力指佛菩萨在"因位"所发的本愿之力,一般与慈悲救度众生有关,大的愿力称为宏愿。这句是说,末法时期众生要求得解脱,须依靠佛菩萨的愿力。

[3]翛(xiāo)然:无拘无束的样子。道芽:修道的种子、根基。刘禹锡《游桃源一百韵》:"道芽期日就,尘虑乃冰释。"

[〇三四]旷然不被兴亡坠,谺尔难教宠辱惊。[1]鼓角城遥无伺候,轮蹄路绝免逢迎。[2]暖眠纸帐茅堂密,稳坐蒲团石面平。只有此途为上策,更无余事可关情。

【注释】

[1]旷然:豁达貌。嵇康《养生论》:"旷然无忧患,寂然无思虑。"谺尔:清醒貌。刘伶《酒德颂》:"兀然而醉,谺尔而醒。"两句是说,内心旷达清醒,就不会被兴亡、宠辱等世俗之事干扰。

[2]两句写远离世间俗务杂事的扰乱。

[〇三五]触目堪嗟失路人,坦然王道[1]却迷津。[2]井藤梗上存余命,石火光中保幻身。[3]任老岂知头顶白,忘缘谁觉世间春。容颜枯槁元非病,亭沼消疏不是贫。

【注释】

[1]王道:指世俗功业。一般人皆认为这是一条广阔的大道,

但在佛法看来,却是对生命本原的迷失,即前句所谓"失路人"。

[2]这两句即解释为何说"坦然王道"是迷津。井藤:《维摩诘经注》中有一个"是身如丘井"的著名譬喻:"丘井,丘墟枯井也。昔有人有罪于王,其人怖罪逃走。王令醉象逐之,其人怖急,自投枯井。半井得一腐草,以手执之,下有恶龙吐毒向之,傍有五毒蛇,复欲加害,有黑白二鼠啮草,草复将断,大象临其上,复欲取之,其人危苦,极大恐怖。上有一树,树上时有蜜滴落其口中,以着味故,而忘怖畏。"在这个譬喻中,丘井表生死,醉象表无常,毒龙表恶道,五毒蛇表五阴,腐草表命根,白黑二鼠表日月,蜜滴表五欲之乐,得蜜滴而忘怖畏,喻众生得五欲之蜜滴而忘记自身生命的虚幻不实。

[3]石火:石头撞击时发出的一闪即逝的火花,喻生命的短暂易逝。智顗《四念处》:"掣电、野马、水泡、石火,以无常为常,斯甚惑矣。"

[〇三六]言行相应宜此地,空谈大隐也无端。[1]升沉岐路非他得,生熟根机且自看。[2]嘁火微烟还渐息,贪泉余润亦消干。[3]平生正直须甘取,虚幻门中莫自瞒。

【注释】

[1]这两句是说,真正的山居要做到言行相应。"大隐"即所谓"大隐在朝市",在诗人看来,这是无知的空谈。"无端"可作"无知"或"无凭"解。

[2]升沉岐路:指在六道中轮回,众生在六道中轮回不是上天安排也不是别人给予的,完全是自作自受,故称"非他得"。

生熟：佛教中常用生熟来比喻众生根机，如《大般涅槃经》中有所谓"生酥味""熟酥味""醍醐味"等说法，比喻经过佛法的熏染，根机逐渐成熟。这句诗是说，一个人的根机是否成熟，其实是可以"自看"即自己体会到的，这本身也是一种禅悟的过程，对应最后一句"虚幻门中莫自瞒"，修行之道是绝不可以自欺欺人的。

[3]贪嗔痴是众生的病根。嗔心如火，贪心如水，痴心如风，当它们炽盛时，既引发自身各种疾病，也引发世界的各种灾难。修行即是要逐渐去掉这些妄想执着，自然证悟大道。

[〇三七]怡和心境了然同，大道无私处处通。[1]举世岂怀身后虑，谁人暂省事前空。门开岩石千山月，帘卷溪楼一槛风。羸体健来知药力，缘心寂后觉神功。[2]

【注释】

[1]"大道无私处处通"即理事无碍、事事无碍的华严境界，亦所谓"大道透长安"。古来歌咏此境之诗偈甚多，聊举数则以参考："十方无上下，来往任西东。若得个中意，纵横处处通"（《寒山诗集》）；"皎然天地无私照，一道光明处处通"（《续传灯录》卷十二）；"山河不碍青霄路，妙用纵横处处通"（《古尊宿语录》卷九）；"固知道本原无说，借路还家处处通"（《金刚经会解了义》）；"一处通今处处通，如风过树月行空"（《禅宗杂毒海》卷七），等等。而这一切，是由"怡和心境"获得的。

[2]缘心：攀缘的心。缘心寂灭之后，真心大道自然显露。

[〇三八]进退应须与智论,浮萍自在为无根。埽门何太抛途辙,[1]解佩犹能弃渥恩。[2]草径旋封迷旧迹,苔阶乱织露新痕。不唯此景供游赏,无限烟萝尽一吞。

【注释】

[1]埽(sǎo)门:《史记·齐悼惠王世家》载:魏勃少时家贫,欲见齐相曹参,但没有门路,便每晨早起,暗中为齐相舍人清扫门外,后通过舍人得见曹参。后世用以指取媚权贵,夤缘仕进。

[2]解佩:佩是古代文官朝服上的饰物,因谓脱去朝服辞官为"解佩"。渥(wò)恩:深恩。这两句谓毅然断绝仕进之路,辞官归隐。

[〇三九]尘网休重织是非,冥心何不合玄微。庄周梦里多迷旨,[1]惠子渔中少见机。[2]拶路古松和冻折,[3]盘空枯叶带霜飞。一言可达知音者,还得从吾此路归。

【注释】

[1]庄周梦:《庄子·齐物论》:"昔者庄周梦为蝴蝶,栩栩然蝴蝶也。自喻适志与,不知周也。俄然觉,则蘧蘧然周也。不知周之梦为蝴蝶与,蝴蝶之梦为周与?周与蝴蝶,则必有分矣,此之谓物化。"这一句是说,庄周梦蝶体现出的那种迷蒙心态是因为尚未觉悟,仍有差别对待(庄周与蝴蝶相对),所以谓之"多迷旨"。永明禅师《心赋注》谓:"若以事相观,随差别而迷旨;若以一心照,随平等而归根。"这里显示古代禅师从《庄子》悟入,而超越《庄子》的精神。

[2]《庄子·秋水》："庄子与惠子游于濠梁之上。庄子曰：'儵鱼出游从容，是鱼乐也。'惠子曰：'子非鱼，安知鱼之乐？'庄子曰：'子非我，安知我不知鱼之乐？'"这句是说，惠施较庄子少了一些禅机禅趣。《嘉泰普灯录》卷二载宋代法远禅师以佛典解读《庄子》此节，可以参印："《首楞严经》曰：'如来藏中，性水真空，性空真水，清净本然，周遍法界，随众生心，应所知量。'又曰：'于一毫端，现宝王刹。'岂惟鱼水矣。如此，而无处不鱼，无处不水，岂待游濠梁之上，然后知鱼水哉。"

[3]拶(zā)：逼仄。

[○四○]抱朴澄神蕴道光，[1]石炉闲爇六时香。[2]曳空横野云和静，逗石穿崖水自忙。晚圃雨来葵叶嫩，晴坡烧后蕨苗长。[3]一心包尽乾坤内，[4]莫把闲文更度量。

【注释】
[1]抱朴澄神：持守本真，澄澈神灵，不为外物所惑。《老子》第十九章："见素抱朴，少私寡欲。"曹植《七启》："肥遁离俗，澄神定灵。"

[2]爇(ruò)：烧。

[3]蕨：一种多年生草本植物，根茎长，嫩叶可食。

[4]"一心包尽乾坤内"七字为中国大乘佛教之根本思想，永明禅师对此作过详尽阐述。兹引其《宗镜录》卷二一段文字以参印："一乘法者，一心是，但守一心，即心真如门。一切诸法，无有缺少，一切法行，不出自心，唯心自知，更无别心。心无形色，无根无住，无生无灭，亦无觉观可行。若有可观行者，即

31

是受想行识，非是本心，皆是有为功用。诸祖只是以心传心，达者印可，更无别法。"又其《心赋注》谓："所言摩诃衍者，此云大乘。又大乘者，是众生心。心体周遍，故名为大；心能运载，故名为乘。"

[〇四一]松萝闲锁一身孤，履道安禅是密谟。[1]借问野云谁断续，思量春草自荣枯。多见异兽心堪伏，来惯幽禽不用呼。万物尽从成熟得，莫教容易丧工夫。[2]

【注释】

[1]履道：躬行正道。《周易·履》："履道坦坦，幽人贞吉。"安禅：静坐入定。王维《过香积寺》诗："薄暮空潭曲，安禅制毒龙。"谟(mó)：谋划、策略。

[2]"万物"两句：修禅追求简易，但简易不是容易，一切要随顺自然，不可强求，能做到这一点不容易。宋代宗杲禅师说："若教容易得，便作等闲看。"(《大慧普觉禅师语录》卷二)长篇小说《西游记》第二十二回，猪八戒要孙悟空背上师父，一个跟头，不就到了西天了吗？何必在地上行走，费这些工夫？遭这些磨难？孙悟空这样回答："我和你只做得个拥护，保得他身在命在，替不得这些苦恼，也取不得经来，就是有能先去见了佛，那佛也不肯把经善与你我。正叫做若将容易得，便作等闲看。"可见，求取真经，历经磨难是必须的。经无所谓真不真，轻而易举获得的"真经"，也一定会变成"假经"。这些皆是甘苦中来，非语言文字所能传达。取经如此，参禅也是如此。

[〇四二]平生初志已酬之，[1]怀抱怡然寂有归。古帙懒开缘得意，[2]幽房长闭为忘机。数行鸟阵连云没，一带泉声隔岭微。道合古今浑总是，[3]何须更虑昔年非。

【注释】

[1]初志：本来的志向。曹植《黄初六年令》："欲修吾往业，守吾初志。"

[2]帙(zhì)：书、画的封套。这句是说，那些古书也不必去翻看，因为已经得到其意旨。

[3]道合古今：古往今来的大道完全一样，没有丝毫差别。

[〇四三]青山一坐万缘休，努力应须与古俦。[1]散诞襟怀因绝趣，消疏活计为无求。花明小砌和春月，松暗前轩带雨秋。景像自开还自合，怡然何必更忘忧。

【注释】

[1]俦(chóu)，伴侣。"与古俦"即以古人为侣。

[〇四四]自甘疏拙懒经营，大道从来戒满盈。[1]但起贪心迷有限，谁能触目悟无生。云融远景危峰小，风戛寒溪野艇横。[2]禅后不妨敷六义，只图歌出野人情。[3]

【注释】

[1]满盈：充足。颜之推《颜氏家训·止足》："天地鬼神之道，皆恶满盈，谦虚冲损，可以免害。"

[2]戛(jiá):敲打。

[3]六义:指诗赋。《〈毛诗〉大序》:"诗有六义焉:一曰风,二曰赋,三曰比,四曰兴,五曰雅,六曰颂。"敷:铺演。野人:山野之人。这两句是说,坐禅之后可以吟咏诗歌,表现山野之人那种超脱的情致,诗禅不相妨碍,典型地概括了山居之所以要有诗的原因。

[〇四五]忙处须闲淡处浓,世情疏后道情通。[1]了然得旨青冥外,兀尔虚心罔象中。[2]泉细石根飞不尽,云蒙山脚出无穷。樵夫钓客虽闲散,未必真栖与我同。

【注释】

[1]"忙处须闲"两句诗深富哲理,后世学人引申发挥,无非此旨。这里引洪应明《菜根谭》中数语,读者自可体会其中滋味:"从静中观物动,向闲处看人忙,才得超尘脱俗的趣味;遇忙处会偷闲,处闹中能取静,便是安身立命的工夫。""忙处事为,常向闲中先检点,过举自稀。动时念想,预从静里密操持,非心自息。""闲中不放过,忙处有受用;静中不落空,动处有受用;暗中不欺隐,明处有受用。""天地寂然不动,而气机无息稍停;日月昼夜奔驰,而贞明万古不易。故君子闲时要有吃紧的心思,忙处要有悠闲的趣味。""忙处不乱性,须闲处心神养得清;死时不动心,须生时事物看得破。""世态有炎凉,而我无嗔喜;世味有浓淡,而我无欣厌。一毫不落世情窠臼,便是一在世出世法也。"又,近代夏莲居居士《自警录》中两节文字也与此有关:"学道无他巧,只是生处令熟,熟处令生而已。何谓熟处?

34

习气、分别、世味。何谓生处？觉照、不分别、老实念佛。但得一念熟，其余自然生。""热忙、伶俐，皆与道背驰者也。何谓热忙？世情正浓之谓也。何谓伶俐？不曾真实用功，专掠虚头之谓也。此二种人，去道最远。"

[2]罔象：传说中的水怪，引申为水盛貌，又引申为虚无缥缈之态。《文选·王褒〈洞箫赋〉》："薄索合沓，罔象相求。"李善注："罔象，虚无罔象然也。"

[〇四六]且停多事莫矜夸，[1]寂寞门中有道华。隈岭静同猿窟宅，[2]栽松闲共鹤生涯。荣来只爱添余禄，春过谁能悟落花。唯有卧云尘外客，无思无虑老烟霞。

【注释】
[1]停：放置，弃置。"停多事"即将繁杂的俗务放下。
[2]隈：山水等弯曲处。

[〇四七]沉沉竹院锁轻烟，澹澹霞光欲曙天。遇境偶吟情自逸，逢人话道意无偏。古松交处眠青帐，细草浓时坐碧毡。[1]只此逍遥何所得，蔬食寒寝度年年。

【注释】
[1]毡：用兽毛等加工成的垫子。这里指浓浓的细草自然结成像毛毡一样的垫子。

[〇四八]危岭如登百尺楼，千般异景望中收。浮生但向忙

时过,万事须从静处休。道直岂教容鬼怪,理平唯只使魔愁。[1]
空门莫说无知己,满目松萝是我俦。

【注释】

[1]"道直"两句:是说佛法的大道真理可以消弭鬼怪,破除
邪魔。有些人错误地认为佛教崇尚鬼神,甚至以拜神求鬼为佛
教,这正是不明大道的缘故。

[〇四九]巨浸层峦本自平,只缘人世强分明。[1]五侯门外悲
欢意,长乐坡头去住情。[2]学道不如忘有念,修身争是了无生。
三祇功业犹难及,[3]谁信尘劳直下明。

【注释】

[1]"巨浸层峦"两句:是说山河大地本来都是平坦的,因为
世人的分别心而生出高低。分明:分别。如《大般涅槃经后分》
卷上所说:"尔时世尊,如是逆顺入诸禅已,普告大众:我以甚
深波若,遍观三界,一切六道,诸山大海,大地含生,如是三界,
根本性离,毕竟寂灭,同虚空相,无名无识,永断诸有,本来平
等,无高下想,无见无闻,无觉无知,不可系缚,不可解脱。"

[2]五侯:公、侯、伯、子、男五等爵位的统称,五侯门指显宦
贵族之家。长乐坡在今陕西西安市郊,唐人往往在此饯别,留
下很多抒写离别之情的诗篇。

[3]三祇:三个阿僧祇劫。阿僧祇为梵文音译,意为无量数
或极大数之意。佛经谓一劫为人间之四十三亿二千万年,故阿
僧祇劫常用来形容极长的时间。

[〇五〇]雾锁烟霾宴寂堂,含虚凝绿水云乡。搜玄偈里真风远,招隐诗中野思长。[1]真柏最宜堆厚雪,危花终怯下轻霜。滔滔一点无依处,举足方知尽道场。[2]

【注释】

[1]招隐诗:古代左思、张华、陆机等都写过题为《招隐》的诗篇,一般表现不与世俗同流合污的避世思想。

[2]"举足"句:王维《六祖能禅师碑铭》:"根尘不灭,非色灭空;行愿无成,即凡成圣。举足下足,长在道场;是心是情,同归性海。"《宗镜录》卷一:"逢缘对境,见色闻声,举足下足,开眼合眼,悉得明宗,与道相应。"可见这是禅宗的重要观念。

[〇五一]投足烟峦养病躯,驰求终是用工夫。千般有作皆从智,万种无依自合愚。意地已抛尘事业,[1]心田唯种稻根株。非时免见干人世,[2]野食山袍自有谟。

【注释】

[1]意地:犹心地。佛教认为意是支配一身之所和生发万物之处,故称。萧子良《净住子·发愿庄严门》:"原众恶所起皆缘意地贪、瞋、痴也,自害害他,勿过于此,故经号为根本三毒。"

[2]干:触犯,冒犯。

[〇五二]急景韶颜不可追,[1]岂堪回首暂思之。浮云已断平生望,高节须存往日期。庭树任猿偷熟果,崖松停鹤惜高枝。轮

37

蹄碌碌何时歇，[2]辗尽红尘为阿谁？

【注释】
[1]急景：急促的时光。韶颜：美好的容貌。
[2]碌碌：繁忙。

[〇五三]幽栖岂可事徒然，昼讽莲经夜坐禅。[1]吟里有声皆
实相，定中无境不虚玄。[2]直教似月临千界，还遣如空度万缘。
从此必知宏此志，免教虚掷愧前贤。

【注释】
[1]莲经：《妙法莲华经》的简称，又称《法华经》，是大乘佛
教的重要经典，演说诸法实相，三乘归一的妙旨。
[2]"吟里"两句：是说吟诵经典的声音，字字句句皆是诸法
实相的体现，禅定中的境界极为清虚玄妙。

[〇五四]何如深谷一遗人，[1]宴坐经行不累身。[2]废宅可嗟
频换主，凋丛愁见几回春。尖尖石笋烟笼碧，点点苔钱雨洗新。
堪笑古人非我意，居山多是避强秦。[3]

【注释】
[1]遗人：遗世独立之人，隐士。
[2]不累身：没有牵累的人。天台宗典籍《四教义》卷十："妙
觉者，金刚后心，朗然大觉，妙智穷源，无明习尽，名真解脱。萧
然无累，寂而常照，名妙觉地。"

[3]"堪笑"两句：是说古来在山中隐居的人多是为了躲避战乱或暴政，如陶渊明《桃花源记》："自云先世避秦时乱，率妻子邑人，来此绝境，不复出焉。"居山而不明修习大道，甚为可惜。

[〇五五]有山有水更何忧，知足能令万事休。大道不从心外得，[1]浮荣须向世间求。冲开烟缕飞黄鸟，点破潭心漾白鸥。好景尽归余掌握，岂劳艰险访瀛洲。

【注释】

[1]"大道"句：这里的"心"指永恒不变的真心，宇宙万象皆在此心之内，心外无物。《台宗十类因革论》谓："若有一法从心外得，不由性起，则法成偏邪，体非常住故。"参看《达磨大师破相论》所载偈："我本求心心自持，求心不得待心知。佛性不从心外得，心生便是罪生时。我本求心不求佛，了知三界空无物。若欲求佛但求心，只这心心心是佛。"

[〇五六]万事从来只自招，安危由己路非遥。[1]笙歌韵里花先落，松桧枝间云未消。数下磬声孤月夜，一炉香翥白云朝。[2]谁人会我高栖意，门掩空庭思寂寥。

【注释】

[1]佛教认为，众生一切苦乐、违顺等果报，都是自己善恶业力所感召的，没有外在的主宰能降祸赐福。《楞严经》卷八："自妄所招，还自来受。"

[2]翥（zhù）：鸟向上飞，这里引申为香烟袅袅上升的样子。

[〇五七]万象从来一径通,但缘分别便西东。[1]遗簪只为情难尽,泣路方知意未穷。[2]偃仰不抛青嶂里,[3]往来多在白云中。平生分野应难比,涧饮林栖得古风。

【注释】

[1]"万象"两句:佛教认为,真如实相圆满无碍,不受任何时空限制,是因为人有了分别之心,才产生时间与空间,分出东南西北。分别心即是迷妄,故称为虚妄分别。

[2]"遗簪"两句:用两个实例来说明分别心。《韩诗外传》卷九载:孔子出游,遇见一妇人因失落簪子而哀哭。孔子弟子劝慰她。妇人曰:"非伤亡簪也,吾所以悲者,盖不忘故也。"这是说忘不了故物旧情。《晋书·阮籍传》:"时率意独驾,不由径路,车迹所穷,辄恸哭而反。"这是说还不能真正忘怀世事。之所以如此,都是分别心在起作用。

[3]偃仰:俯仰,引申为从容游览。《诗经·小雅·北山》:"栖迟偃仰。"

[〇五八]遁逸从来格自高,莫将泰岳比秋毫。[1]冷烟寒月真吾侣,瘦竹苍松是我曹。霜树叶疏幽径出,云泉声急晓风高。唯当话道闲吟外,时得工夫补毳袍。

【注释】

[1]《庄子·齐物论》:"天下莫大于秋豪之末,而太山为小;莫寿于殇子,而彭祖为夭。"憨山德清《庄子内篇注》谓:"意谓

40

若以有形而观有形,则大小、寿夭一定而不可易者。今若以大道而观有形,则秋毫虽小,而体合太虚;而太山有形,只太虚中一拳石耳。故秋毫莫大,而太山为小也。殇子虽夭,而与无始同原;而彭祖乃无始中一物耳。故莫寿于殇子,而彭祖为夭也。若如此以道而观,则小者不小,而大者不大;夭者不夭,而寿者非寿矣。如此则天地同根,万物一体,何是非之有哉!"

[〇五九]任运腾腾无所依,[1]闲游长坐性怡怡。疏林不遣闲人到,密意多应夜月知。骤雨过时苔路滑,拨云行处石桥危。尘沙劫尽清风在,何假虚名上古碑。[2]

【注释】

[1]任运:听凭命运安排。《宋书·王景文传》:"有心于避祸,不如无心于任运。"法眼《圆成实性颂》所谓"到头霜夜月,任运落前溪"。可见禅僧任运自在之心境。

[2]"尘沙"两句:一般人认为名字能够刻在石碑上就能"不朽"了,其实从恒河沙劫无限长的时间来看,世间的一切皆归虚无,古碑上的名字也是虚名而已。

[〇六〇]抱拙藏锋过暮年,高名何必指前贤。只于心上标空界,谁说壶中别有天。[1]郁密远林停宿雾,萧骚疏竹扫寒烟。从兹不更移瓶锡,[2]身外无余意了然。

【注释】

[1]壶中别有天:《后汉书·方术传下·费长房》载:费长房为

市掾时,市中有老翁卖药,悬一壶于肆头,市罢,跳入壶中。长房于楼上见之,知为非常人。次日复诣翁,翁与俱入壶中,唯见玉堂严丽,旨酒甘肴盈衍其中,共饮毕而出。后用"壶天"比喻仙境、胜境。这两句是说,心的广大较之"壶天"更为玄妙殊胜。

[2]瓶锡:僧人所用的瓶钵和锡杖,借指僧侣生涯。这句是说,从此不必再到处走动。

[〇六一]息业怡神道最孤,藏名匿迹合良图。冥心难使龙神见,出语须教海岳枯。云驻庵前疑有意,鸟鸣庭际似相呼。资持随分安排了,[1]最急应须与道俱。

【注释】

[1]资持:资生的物品、用具等。对这些东西随缘使用即可,不必刻意去营求。

[〇六二]松阴疏冷罩寒门,静见吾宗已绝伦。驱得万途归理窟,[1]更无一事出心源。烟云忽闭岩前洞,鸡犬时闻岭下村。放旷本来无别意,免教停海起波痕。[2]

【注释】

[1]理窟:义理的奥秘。《新译大乘入楞伽经序》:"所言《入楞伽经》者,斯乃诸佛心量之玄枢,群经理窟之妙键。"

[2]"放旷"两句:佛教为说明真心、妄心的关系,常用水与波的关系为譬喻。水喻真心,波喻妄心。波即是水,水即是波,

波为水相,水即波性。佛即彻悟并证得真心者,故如如不动,性海湛然,此即心能转物;众生心因妄想执着而随缘波动,故有生死相,枉受轮回之苦,此即心为物转。这两句是说,佛教所说的放旷,并非为了别的目的,只是为了证悟真心而已。

[〇六三]景虚情澹两何依,抱一冥真绝万机。[1]松韵余风凉竹户,柏摇残露湿禅衣。岩灯雾逼寒光小,石像尘昏古画微。得趣了然无所虑,[2]任缘终日送斜晖。

【注释】

[1]抱一:《老子》第十章:"载营魄抱一,能无离乎?"第二十二章:"曲则全,枉则直;洼则盈,敝则新;少则得,多则惑。是以圣人抱一为天下式。"

[2]得趣:领会意旨。张衡《东京赋》:"规遵王度,动中得趣。"李善注:"规,摹也。遵,循也。趣,意也。度,先王之法度,举动合礼之意也。"

[〇六四]遁迹无图匿姓名,万重山后葺茅亭。[1]随情因事搜新偈,探妙穷微阅古经。与道交时心绝念,从缘感处物通灵。[2]应须长远存高节,屹屹乔松老更青。

【注释】

[1]葺(qì):用茅草盖房子。

[2]"与道"两句:这一联意蕴深广,耐人品味。大意是说:当我们的心与道合而为一时,心就处在"绝念"即没有任何妄念

的状态,也就是找到了真心;一切随缘,用真心去感应万物,万物也都有灵性,此即物我一如的境界。

[〇六五]闲思尘世大悠哉,进趣门中尽可该。[1]抛却工夫平世路,枉劳心力构仙台。[2]隘空云水千重合,匝野烟霞一径开。幸有圆成平坦处,[3]辛勤谁解望山来?

【注释】

[1]进趣:又作"进趋",追求、求取之意。《后汉书·韦彪传》:"安贫乐道,恬于进趣。"世人皆有追求,多以"积极进取"为人生导向,这是"尘世"的基本状况。该:包括、概括。这两句是说:想一想尘世中久远劫来的状况,可以用"进趣"两个字来概括。

[2]"抛却"两句:分说儒、道两种人生追求。上句说儒教,以"平世路"即追求世间功名、谋求人世幸福为目标;下句说道教,以修炼成仙、追求长生不死为目标。这两者看似不同,其实都是错误的,皆没有超出尘世的范围,所以诗中批评为"抛却工夫"和"枉劳心力"。佛教出现于世间,正是为了弥补前两者的不足。

[3]圆成:圆满成就,指佛教所说的真如、涅槃境界。《宗镜录》卷三:"圆成实性,本不生故。"卷五:"圆成是真,遍计为妄。"这句是说,圆成平坦的真心境界是不生不灭的,从来都没有丧失过,只要人当下觉悟。这一句揭示佛教与儒、道两教最本质的不同处。

[〇六六]千途尽向空源出,万景终归一路通。[1]忽尔有心成

大患,坦然无事却全功。[2]春开小岫调新绿,水漾漂霞蘸晚红。莫道境缘能幻惑,达来何处不消融。[3]

【注释】

[1]这一首延续上一首,顺流而下,全说真心境界。世间万象的本源为空,空即是真,所以能够殊途同归,万法归一,一即是真。

[2]"忽尔"两句:上句之"心"指世人的妄心。真心如如不动,无生无灭。但一念无明生起,便有了妄心,妄心覆盖真心,世人认妄为真,生出万法,这就是大患,是世间一切烦恼、灾难、痛苦的根源。学佛无非是去妄归真,一旦归真,患即自灭。下句的"坦然无事"象示归真,"坦然"即心平,直心。

[3]这几句是说,大自然的一切皆是真心的显现,所谓"青青翠竹,尽是法身;郁郁黄花,无非般若"。"春开"两句,形象地写出《大乘本生心地观经》所谓"心如画师,能画世间种种色故",揭示"何处青山不道场"的宗旨。大自然种种现象也是"幻"境,但只要悟明真心,明了幻即是真,真即是幻,就不会被幻境所惑,一切圆融无碍,此心就已经住在真心中了。

[〇六七]身心闲后思怡然,缅想难忘契道言。[1]千种却教归淡薄,万般须是到根源。[2]疏疏雨趁归巢鸟,密密烟藏抱子猿。禅罢吟来无一事,远山驱景入茅轩。

【注释】

[1]契道:与道相合。契道言是指参透大道的圣贤之言。

[2]"千种"两句：是说圣贤们的契道之言，说一千道一万，无非是要人归于淡薄、认清本源，即每个人的自性真心。

[〇六八]万境闲来情澹澹，群嚣息后思微微。[1]当时白业无门入，[2]今日玄关有路归。[3]熟果不摇翻自落，[4]生禽谁唤却惊飞。到头何用空忙得，任运应须待对机。

【注释】

[1]嚣：喧哗，群嚣指世俗杂务、纷争。

[2]白业：佛教认为人在世间所作业有善有恶，善业称为白业，恶业称为黑业。这句是说，找不到作善业的途径。

[3]玄关：入道的法门。这两句合在一起是说，世间的善业皆属有为法，不能超脱生死，故不是究竟，只有找到玄关，才能契合大道。

[4]这一句揭示因果之理。佛教认为，世间因果，并无主宰者，一切都是众生自作自受，果熟自落，所以要任运随缘，顺应自然，不必强求，俗语所谓"强扭的瓜不甜"，也就是前诗所说"万物尽从成熟得"。

[〇六九]携筇闲步望山行，[1]竟日逍遥任野情。上岭梯登危石侧，渡溪桥踏古槎横。[2]绿萝水皱岩根急，红锦霞舒海面明。一轴咏怀高尚意，援毫因事偶吟成。[3]

【注释】

[1]筇（qióng）：一种竹子，可以做手杖。

[2]槎(chá):木筏。

[3]援毫:执笔。

[〇七〇]负气争权事可悲,金貂绣毂尽何之。[1]唯闻野棘盘荒冢,[2]只见空陵叠坏碑。灯暗竹堂行道夜,烟昏石窟坐禅时。怡然自得真栖处,何用经营别路岐。

【注释】

[1]金貂:皇帝左右侍臣的冠饰。绣毂:华丽的车子。何之:向何处去。

[2]棘:有芒刺的丛木。

[〇七一]豪贵从他纵胜游,多欢终是复多愁。[1]茅茨舍宇偏安稳,[2]粪扫衣裳最自由。[3]数片云飞书案上,一条泉路卧床头。分明自有安身处,争奈人间不肯休。

【注释】

[1]这句是说,世人追求的荣华富贵、幸福快乐等都是相对的,欢乐与忧愁是如影随形的,所以不是究竟。

[2]茨:用茅草盖的屋子。

[3]粪扫衣:又名衲衣,僧人所穿衣服的称呼。指用别人弃之不用或拭秽物的衣片,洗净之后补纳成衣。穿这种衣服是佛教所谓"十二头陀行"之一,体现僧人远离世间荣华、毫无污染的情怀。

[〇七二]高才宏力气凌云,世上浮名梦里身。[1]苏氏谩称降六国,韩公休说卷三秦。[2]当朝虽立千年事,古庙唯存一聚尘。毕竟思量浑大错,何如林下养天真。

【注释】

[1]"高才"两句:点题,是说人们视为珍贵故而极力追求的才华、力量、名声等等,都是虚幻的。

[2]"苏氏"两句:苏氏指苏秦,战国时期纵横家,曾任齐相,联合诸国合纵攻秦。韩公指西汉名将韩信,项羽破秦入关后,将关中之地分给秦降将章邯、司马欣、董翳,因称关中为三秦。"卷三秦"指韩信率领的大军消灭项羽,平定三秦,奠定汉朝基业。苏、韩二人后来皆遭杀身之祸。

[〇七三]高怀怡淡景相和,才到尘途事便多。碧嶂好期长定计,朱门唯见暂时过。[1]雄雄负气争权路,岌岌新坟占野坡。[2]成败分明刚不悟,未知凡俗意如何?

【注释】

[1]碧嶂两句:是说青山绿水方是长住久留之地,朱门中人都是暂时过客而已。怎奈世人不明此理,多羡慕后者。

[2]岌岌:高耸的样子。

[〇七四]得理元来行自成,万般情断一心冥。樵人不到缘山僻,游客难逢为岳灵。食蘖苦心何日就,[1]看花醉眼几时醒。索然身外无余物,[2]云满前山水满瓶。

【注释】

[1]蘗:又作"檗"(bò),两字通假。黄檗,一种落叶乔木,树皮味苦,可入药。食蘗:喻受辛苦。薛逢《与崔况秀才书》:"饮冰励节,食蘗苦心。"白居易《三年为刺史》诗之二:"三年为刺史,饮冰复食蘗。"

[2]索然:形容空貌,无余物表示没有丝毫的牵累。

[〇七五]名利梯媒事已忘,[1]唯凭拙直定行藏。[2]探玄休炼长生药,助道时抄歇食方。[3]溪汲古痕山雨涨,树摧残桥野风狂。[4]一言欲寄休回首,尘路如今事正忙。

【注释】

[1]梯媒:荐引。这里指对名利的攀缘。

[2]行藏:出处或行止。《论语·述而》:"用之则行,舍之则藏。"岑参《武威送刘单判官赴安西行营便呈高开府》:"功业须及时,立身有行藏。"

[3]歇食:停止或减少食物,即辟谷。这两句是说,道教的长生药不必去炼,但其辟谷的方法有助于修道,可以学习。

[4]桥(niè):古同"蘗"(niè),树木砍去后又长出的芽子。

[〇七六]岂是疏慵僻爱山,且图余事不相关。休夸凤诏千年贵,[1]难敌禅扉半日闲。[2]透水戏鱼随浪没,投巢孤鹤带云还。自然得到无心地,寂寂虚堂一景闲。

[1]凤诏:即诏书,代指世俗的荣华富贵。

[2]"难敌"句:唐代李涉《题鹤林寺僧室》:"终日昏昏醉梦间,忽闻春尽强登山。因过竹院逢僧话,又得浮生半日闲。"宋代周紫芝《竹坡诗话》有一段有趣的记载:"有数贵人遇休沐,携歌舞燕僧舍者。酒酣,诵前人诗:'因过竹院逢僧话,又得浮生半日闲。'僧闻而笑之。贵人问师何笑,僧曰:'尊官得半日闲,老僧却忙了三日。'谓一日供帐,一日燕集,一日扫除也。"这虽然是趣话,但也可见:如果僧家的山居之地也成为达官贵人们"休闲""旅游"的场所,那么山居的意义就完全丧失了,出家反而成了"忙事",殊为可悲。

[〇七七]林下安身别有方,营营何太路岐忙。侯门梦过光阴促,禅室玄栖气味长。引水灌花春日媚,移松夹道暑天凉。衔恩略报无功处,[1]一炷晨风散后香。

【注释】
[1]衔恩:受恩,感恩。

[〇七八]万般惟道最堪依,一瞬荣枯万古悲。强笑低颜何忽忽,忘机绝虑自怡怡。潜龙终要投深浦,[1]巢鸟应须占健枝。名利门中难立足,隐藏云水更何之。

【注释】
[1]潜龙:《周易·乾》:"初九,潜龙勿用。"李鼎祚《集解》引

马融语："物莫大于龙,故借龙以喻天之阳气也。初九,建子之月,阳气始动于黄泉,既未萌芽,犹是潜伏,故曰潜龙也。"深浦:深渊。此句对应末句"隐藏云水"。

[〇七九]退迹何人继昔贤,凡途终是事谋先。只知竞逐浮云富,谁解惊嗟逝水年。[1]寒影半疏霜后树,秋声千点雨中禅。千般不更经营得,[2]一榻无余任自然。

【注释】

[1]"只知"两句:用《论语》中孔子的两句话构成巧妙的对照。《论语·述而》:"不义而富且贵,于我如浮云。"《论语·子罕》:"子在川上曰:'逝者如斯夫!不舍昼夜。'"

[2]"千般"句:是说世间的一切皆是前定,不是谋划营求能够得到的,世人不明此理,将生命浪费在这些无谓的追求中。佛教认为,生命的真正价值在于:利用今生宝贵的机会,勤奋修学,获得觉悟,来生不再生死轮回,这才是不辜负人生。

[〇八〇]野景陶情皆得意,凡夫举目尽堪愁。秦川几度埋番骨,棘路还曾耸玉楼。幻体不知波上沫,[1]狂心须认镜中头。[2]浮生役役贪荣者,[3]求到真空卒未休。

【注释】

[1]"幻体"句:佛教认为人的身体以及一切可见的色法,本质上皆是幻化,如水沫浮沤一样并非实体。如《楞严经》卷三:"观父母所生之身,犹彼十方虚空之中,吹一微尘,若存若亡。

51

如湛巨海，流一浮沤，起灭无从。了然自知，获本妙心，常住不灭。"《观察诸法行经》卷四："若色似如水聚沫，知受亦如浮沤等。"《妙法圣念处经》卷五："有为诸行，刹那生灭，何得久住？如水浮沤，如镜影像，如电刹那，如云散灭。"

[2]《楞严经》卷四载：一个叫演若达多的人，早晨起来照镜子，他很喜欢镜子里的头有眉有眼，历历清晰。却诧异自己的头为什么看不到眼睛眉毛，怀疑自己的头已失去，一时惊恐万状，四处狂走。这个譬喻是说，众生皆因狂心而不认识真正的自己，实际上镜中的头就是己头。一旦狂心顿歇，自有本性就能恢复。《楞严经直指》解释说："本头喻性觉，照镜喻妄觉。本头自如，何妨不见。镜头妄现，因照生狂。识狂无端，本头元在。此喻明自生妄，本无所因。"

[3]役役：劳苦不息貌。《庄子·齐物论》："终身役役，而不见其成功。"这些浮生役役者，即是迷失狂走人，虽然不停地求索，但终身无所得。

[〇八一]一生占断白云乡，适意孤高志自强。报晓音声栖鸟语，漏春消息早梅香。[1]吟经徐傍芙蕖岸，[2]得偈闲书薜荔墙。大道最亲无达者，苦携瓶锡叩禅堂。

【注释】

[1]漏春：泄漏春光。杜甫《腊日》："漏泄春光有柳条。"

[2]芙蕖：又作"芙渠"，荷花的别名。《尔雅·释草》："荷，芙渠。其茎茄，其叶蕸，其本蔤，其华菡萏，其实莲，其根藕。"郭璞注："（芙渠）别名芙蓉，江东呼荷。"

[〇八二]养性摅情不记年,[1]免寻云水更参禅。有心用处还应错,无意看时却宛然。析法尚嫌灰断果,[2]烧丹堪愍地行仙。[3]欲知此理谁人会,水自朝东月自圆。

【注释】

[1]摅(shū):抒发,表达。

[2]灰断果:指小乘阿罗汉果位,所谓"灰身灭智",《观音玄义记》谓:"小乘灰断,身智俱亡,将何永度众生?将何常照寂理?"小乘佛教的涅槃理想是"灰身灭智、捐形绝虑",大乘佛教的理想是无住涅槃,即为救度众生,既不以生死亦不以涅槃为住处。

[3]地行仙:佛典中所记的一类长寿的神仙。《楞严经》卷八:"人不及处有十种仙:阿难,彼诸众生,坚固服饵,而不休息,食道圆成,名地行仙……是等皆于人中炼心,不修正觉,别得生理,寿千万岁,休止深山或大海岛,绝于人境。"这两句指出两种修行的邪路,要人警惕。愍:同"悯"字,痛悯。

[〇八三]世途从此免相关,万虑潜消野思闲。庵树逼春花自吐,岩巢欲暮鸟空还。门前雾闭疑无路,槛外云开忽有山。[1]宴坐石岩樵径绝,姓名应不到人间。

【注释】

[1]门前两句:写修道顿悟的境界,既是诗境,也是悟境。后世如宏智禅师的"烂柯樵子疑无路,挂树壶公妙有家"、破山禅

53

师的"草鞋脚底疑无路,拄杖前头别有山"、白岩符禅师的"山当尽处疑无路,转过溪来景愈幽"等,最有名的当数陆游《游山西村》的"山重水复疑无路,柳暗花明又一村"。钱锺书《宋诗选注》对陆游此诗注释谓:这种景象前人也描摹过,并举王维《蓝田山石门精舍》"遥爱云木秀,初疑路不同;安知清流转,忽与前山通"等诗句为例。

[〇八四]独行独坐任天然,幽隐难逢世网牵。[1]一志直教齐大道,万般总是涉因缘。水磨涧石平如镜,春引岩藤直似弦。虚幻已知休更续,蹄轮应不到山前。

【注释】
[1]世网:尘世间种种欲求像渔网一样束缚着人。嵇康《答难养生论》:"奉法循理,不挂世网。"

[〇八五]散诞疏狂得自然,免教拘迫事相牵。潜龙不离滔滔水,孤鹤唯宜远远天。透室寒光松槛月,逼人凉气石渠泉。非吾独了西来意,[1]竹祖桐孙尽入玄。[2]

【注释】
[1]西来意:菩提达摩祖师自西方的印度来到中国弘传禅法的真意是什么?"如何是祖师西来意"为禅宗常用的参悟话头,涉及对佛法根本精神的反省和体悟。
[2]竹祖:带有笋芽的竹鞭,指老竹。桐孙:桐树新生的小枝。这一句是说,一切众生,无论长幼贤愚,自身皆有永恒平等

的佛性，皆能妙入玄机，"非吾独了"，这也正是对"祖师西来意"的一种体会。

[〇八六]绿柳堤边春色多，数树重重袅翠萝。[1]红白花枝争斗发，晴阴天气半相和。中山谩醉千壶酒，[2]易水徒悲一曲歌。[3]尘世无凭唯道外，荣枯瞬息尽消磨。[4]

【注释】

[1]袅翠萝：缭绕着翠绿的萝藤。

[2]"中山"句：据张华《博物志》记载：刘玄石曾在中山酒家买酒，喝了酒家酿造的千日酒，到家后大醉。家人不知，以为他死了，就埋葬在地下。后来酒家估算刘饮酒有一千天了，就前往刘家探视，家人说已经埋葬。打开棺材，刘玄石刚从酒醉中醒来，因此留下俗谚："玄石饮酒，一醉千日。""千壶酒"似应作"千日酒"。

[3]"易水"句：《战国策·燕策三》记载：荆轲入秦行刺秦王，燕太子丹在易水边为他饯行，荆轲高唱"风萧萧兮易水寒，壮士一去兮不复还"的歌曲。前一句是说世人的醉生梦死，这一句是说壮士的慷慨捐躯，在佛家看来，并无实质的区别。

[4]"尘世"两句：由前面的观史而生发，意谓：除了大道之外，尘世间是没有什么事可以依凭的，因为荣辱盛枯都是瞬间的事。

[〇八七]清平大业行皆奢，岂独尧时听所加。[1]丰俭由人天不远，安危在智道非赊。[2]关津防害翻为害，法令除邪却长邪。[3]

争似无言敷密化,既能成国又成家。[4]

【注释】

[1]清平:太平。这两句的含义出自《韩非子·十过》:"臣闻昔者尧有天下,饭于土簋,饮于土铏。其地南至交趾、北至幽都,东西至日月所出入者,莫不宾服。尧禅天下,虞舜受之。作为食器,斩山木而财子,削锯修其迹,流漆墨其上,输之于宫,以为食器,诸侯以为益侈,国之不服者十三。舜禅天下而传之于禹,禹作为祭器,墨漆其外而朱画其内,缦帛为茵,蒋席颇缘,觞酌有采而樽俎有饰,此弥侈矣,而国之不服者三十三。夏后氏没,殷人受之,作为大路而建九旒,食器雕琢,觞酌刻镂,四壁垩墀,茵席雕文,此弥侈矣,而国之不服者五十三。君子皆知文章矣,而欲服者弥少。臣故曰:俭其道也。"这是说,尧舜禹三代皆称贤王,但其实也是越来越奢华,说明奢侈之心乃人之本性,非常难以消除。

[2]赊(shē):远。这两句诗互文,含义是:丰俭、安危的大道并不远,就在眼前,即人心与智慧。

[3]关津:水陆要道的关卡。这两句是说,人类建立各种设施,颁布各种法令,是为了防止灾害与邪伪,但是这些东西本身也可能成为引发或助长灾害邪伪的源头。以上几句都是讲,世间的政治法律等都有其局限性和弊端,皆非根本。

[4]敷:敷演。密化:秘密的教化,指佛教。这两句是说,佛教不但是出世圣教,对于世间而言,也有大用,可以辅助治理国家。究其原因在于:佛教是以"治心"为根本,抓住了这个根本才是真正的"治世"之道。

56

[〇八八]焦翼枯鳞成底事,分明可验莫愁哉。[1]君恩只可量功受,世利应须任运来。岂信败从成处得,谁知荣是辱边媒。[2]但看越分殊求者,唯向身中积祸胎。[3]

【注释】

[1]焦翼枯鳞:烧焦的鸟翼和干枯的鱼。底事:何事。这两句是说:看看那些烧焦的鸟翼和干枯的鱼,它们在告诉我们什么呢?仔细观察和思考其中的因果道理,分明都是可以验证的。

[2]"君恩"四句:体现着道家的相对观,如《老子》第六十四章:"民之从事,常于几成而败之。"《淮南子·氾论训》:"古之所以为荣者,今之所以为辱也。"世间成、败、荣、辱等,都是相对的,过犹不及,绝不可贪求。

[3]越分:超过本分。殊求:过分的追求。祸胎:祸根。这两句诗有异文,《全唐诗补编》作"但看越分诛求者,唯向身边积祸胎",作"诛求"(强求)亦可通,但"身边"二字不如"身中"警醒。

[〇八九]栖真境界太玄乡,[1]静见吾宗不可量。好句只凭诗断送,[2]闲缘唯遣道消亡。雨丝云织轻条密,烟素风抽细缕长。竟日虚怀无一事,金瓶秋水石炉香。

【注释】

[1]太玄:深奥玄妙的道理。

[2]断送:此为宋元俗语,意为逗引,如关汉卿《窦娥冤》:

57

"要什么素车白马,断送出古陌荒阡。"这一句是说:好的句子借着诗兴逗引出来。

[○九○]得丧从来事甚均,[1]任缘徒用苦劳神。野蔬随分堪充口,石室依稀可庇身。碧海几时无去棹,红衢何日息征轮。[2]若教求道如求利,[3]举世浑成无事人。

【注释】

[1]"得丧"句:谓天道公正,无偏无私,即《老子》第七十七章所谓"天之道,其犹张弓与,高者抑之,下者举之;有余者损之,不足者补之。天之道,损有余而补不足"。

[2]衢(qú):大路。征轮:远行人乘的车子。

[3]"若教"句:《论语·子罕》:"子曰:'已矣乎!吾未见好德如好色者也。'""求道如求利"与"好德如好色"堪称佳对。

[○九一]数朝兴废狂风过,千载荣枯掣电飞。早向权门思息意,莫于尘世自沈机。一条水引闲花出,万里云随独鹤归。最要身安成大道,免教他后始知非。[1]

【注释】

[1]他后:即死后,他生。佛教之教人超脱,最重要的目的在于解决生死轮回问题,这是成大道的根本目的。宋人颜丙《劝修净业文》一节文字可以参考:"个个恋色贪财,尽是失人身捷径。日日饮酒食肉,无非种地狱深根。眼前图快活一时,身后受苦辛万劫。皮包血肉骨缠筋,颠倒凡夫认作身。到死始知非是

我,从前金玉付他人。一旦命根绝处,四大风刀割时,外则脚手牵抽,内则肝肠痛裂。纵使妻儿相惜,无计留君。假饶骨肉满前,有谁替汝?"

[〇九二]幽栖带郭半山峰,密意虚怀莫可同。事到定中消息静,景于吟处炼磨空。[1]玲珑色淡松根月,敲磕声清竹罅风。[2]独坐独行谁会我,[3]群星朝北水朝东。

【注释】

[1]炼磨:即磨炼,但佛教所谓磨炼与世俗之意有所不同。《宗镜录》卷二十三谓:"先得宗本,然后炼磨。于炼磨时,不失道本,如巧炼金,不失铢两。"即在悟明宗本之后,还有一个艰苦的炼磨过程。这一句是说,吟诗也可以视为一种炼磨,在吟诗中将外在之景炼磨成空境,也是一种修心的途径。

[2]磕(kē):石头撞击声。罅(xià):缝隙。

[3]会:理解、领会。

[〇九三]三度曾经游此地,从缘权顺世间情。登山虽有谢安志,[1]遁迹惭无慧远名。[2]翠叠寒枝松未老,影深幽径竹新成。莫言去住关怀抱,云本无心水自清。

【注释】

[1]谢安(320~385),字安石,号东山,东晋政治家、军事家,少有大志,建功立业后急流勇退。《世说新语·雅量》载:谢太傅盘桓东山时,与孙兴公诸人泛海戏。风起浪涌,孙、王诸人色并

遽,便唱使还。太傅神情方王,吟啸不言。舟人以公貌闲意说,犹去不止。既风转急,浪猛,诸人皆喧动不坐。公徐云:"如此,将无归!"众人即承响而回。于是审其量,足以镇安朝野。

[2]慧远(334~416),东晋高僧,居庐山,创立莲社,弘扬净土,为净土宗之始祖。

石屋山居诗[1]

【注释】

[1]释清珙(1272~1352),元代禅僧,字石屋,谥号"佛慈慧照禅师"。属临济宗虎丘派。生于苏州常熟,俗姓温。在兴教崇福寺永惟座下出家。后参天目山高峰原妙。曾在天湖庵山居长达四十年,有《石屋珙禅师语录》两卷传世,其中卷下即为《山居诗》。元顺宗至正十二年(1352)七月二十三日示寂,世寿八十一,僧腊五十四。嗣法弟子为高丽的太古普愚。普愚为韩国佛教史上的名僧,为韩国禅门太古宗之祖。

山居诗序

余山林多暇,瞌睡之余,偶成偈语自娱。纸墨少便不欲纪之。云衲禅人请书,盖欲知我山中趣向,于是静思,随意走笔,不觉盈帙,故掩而归之。复嘱慎勿以此为歌咏之助,当须参意,则有激焉。[1]

【注释】

[1]小序的最后一句是说,不要将《山居诗》视为普通的诗歌,要参悟其中的禅理,有所激发。

[〇九四]吾家住在雪溪西,[1]水满天湖月满溪。[2]未到尽惊山险峻,曾来方识路高低。[3]蜗涎素壁粘枯壳,[4]虎过新蹄印雨泥。闲闭柴门春昼永,青桐花发画胡啼。[5]

【注释】

[1]雪(zhà)溪:水名,在今浙江省湖州市南。

[2]天湖:在湖州霞雾山,石屋清珙禅师长期住于此地天湖庵,过着一种清苦而又洒脱的生活。如其《语录》记上堂语说:"把住也锋芒不露,放行也十字纵横。水云深处相逢,却在千峰顶上。千峰顶上相逢,却在水云深处。今朝福源寺里开堂演法,昨日天湖庵畔垦土耕烟。所以道法无定相,遇缘即宗,可传真寂之风,仰助无为之化。"

[3]"未到"两句以写山写景喻悟道境界。

[4]蜗涎(xián):蜗行所分泌的黏液。苏轼《题雍秀才画草虫八物·蜗牛》:"腥涎不满壳,聊足以自濡。升高不知回,竟作粘壁枯。"

[5]胡啼:一种乐器,即琵琶。白居易《听曹纲琵琶兼示重莲》:"拨拨弦弦意不同,胡啼蕃语两玲珑。"琵琶的音响多用桐木制作,这句是说,在青桐花发之后,在桐木上画琵琶的图形截取来制作琵琶。

[〇九五]柴门虽设未尝关,[1]闲看幽禽自往还。尺壁易求千丈石,黄金难买一生闲。雪消晓嶂闻寒瀑,叶落秋林见远山。古柏烟消清昼永,是非不到白云间。

【注释】

[1]"柴门"句:陶渊明《归去来兮辞》:"门虽设而常关。"这句进一步说,连门也不关,让那些禽鸟们自由自在地来去。

[〇九六]荒冢累累没野蒿,昔人未葬尽金腰。[1]有求莫若无求好,进步何如退步高。[2]贪饵金鳞终落釜,出笼灵翮便冲霄。[3]山翁不管红尘事,自种青麻织布袍。

【注释】

[1]金腰:即腰金,为叶韵而倒置。古代朝官的腰带,按品级镶以不同的金饰,品级高者用纯金制成,后泛指身居显要地位。

[2]"进步"句:"进步"指入世法,"退步"指出世法。《老子》第四十一章:"进道若退。"第四十八章:"为学日益,为道日损,损之又损,以至于无为,无为而无不为矣。"说的就是这个意思。清代禅僧无趣老人曾作《退步歌》三首,其第一首写道:"人到中年,去后光阴少。如浅水鱼,渐渐干来了。趁办行资,莫待临头懊。浮世无常,退步回头好。"可供参考。

[3]翮(hé),鸟翅。灵翮:指美丽而富有灵性的鸟。

[〇九七]纸窗竹屋槿篱笆,客到蒿汤便当茶。多见清贫长快乐,少闻浊富不骄奢。看经移案就明月,供佛簪瓶折野花。[1]尽说上方兜率好,[2]如何及得老僧家。

【注释】

[1]簪(zān)：插。这句是说,用野花插在瓶中供养佛陀。佛教所谓"供养"完全在于心意,佛陀已是大觉悟者,岂在乎众生花多少钱供养他?供佛的唯一目的是培养自心的敬畏和清净。这句诗就形象地说明了这一点。

[2]兜率:天界的名称,梵语Tusita的音译,"率"字应读作shuài。兜率天为欲界六天之第四天,其中兜率外院属欲界天,为天众所居,享受欲乐。天人之寿命约四千岁,其一昼夜相当于人间之四百年,其寿命约合人间五亿七千六百万年。兜率内院为即将成佛的大菩萨居住,如弥勒菩萨现在即住于此,称为"弥勒净土"。

[〇九八]道在人弘孰可凭,发言须与行相应。[1]贪心似海何时足,妄念如苗逐日增。几树梅花清处士,一园芋子乐闲僧。而今随例庵居者,见道忘山似不曾。[2]

【注释】

[1]道在人弘:南朝高僧僧祐编辑《弘明集》一书,并自作序言说:"道以人弘,教以文明,弘道明教,故谓之《弘明集》。"这两句诗点出修道中一个非常重要的问题:要真正做到文如其人,言行一致,这样的人才能弘道。

[2]"而今"两句:批评一些"随例"隐居山林者,身处山林而心不能清净,即不能见道忘山。"见道忘山"语出自唐代永嘉禅师《禅宗永嘉集》:"若未识道而先居山者,但见其山,必忘其道;若未居山而先识道者,但见其道,必忘其山。忘山则道性怡

64

神,忘道则山形眩目。是以见道忘山者,人间亦寂也;见山忘道者,山中乃喧也。"

[〇九九]动则乖真静则差,非思量处更涓讹。无心未合祖师意,有念尽为烦恼魔。[1]矮屋朝阳寒气少,疏篱种菊晚香多。白云曳曳方拖练,又被风吹过绿萝。[2]

【注释】

[1] 这几句从理上辨析修道中常令人迷惑的几组相对概念:动与静、无心与有念、思量与非思量,执着在哪一边都不对。正如宋代子璇法师《金刚经纂要刊定记》卷五所说:"以灵源真心,本无能所,妄生能所,即是乖真;能所既除,即合本体,灵然不昧,物我皆如。故《华严》云:'能见及所见,见者悉除遣。不坏于真见,是名真见者。'"所谓修心悟道,即是修此心,悟此道。

[2]曳曳:飘动貌。这几句由理转向事,由议论转为写景,最后用云的意象写那种毫无执着、挂碍的境界。

[一〇〇]松下双扉冷不扃,[1]一龛金像照青灯。眠云野鹿惊回梦,落涧猕猴坠折藤。得意看山山转好,无心合道道相应。多时不向门前去,藓叶苔花积几层。

【注释】
[1]扃(jiōng):门闩。不扃即门上无锁。

[一○一]三十余年住崦西,镢头边事不吾欺。[1]一园春色熟茶笋,数树秋风老栗梨。山顶月明长啸夜,水边云暖独行时。旧交多在名场里,竹户长开待阿谁?[2]

【注释】

[1]镢头:刨土的农具。"镢头边事不吾欺"一语看似平常,其实有很深的内涵。联系下文,"不吾欺"真正所指为因缘果报,即种瓜得瓜,种豆得豆,丝毫不会错的。这正是从生活中体悟佛法的真理。

[2]末两句体现着菩萨般的大悲心。对于那些迷途忘返的众生,禅师的"竹户长开"是期待着他们早日归来,但是又有几人能够明了此意呢?

[一○二]翠窦丹崖列四傍,茅庵恰好在中央。一身布衲衣裳暖,百念消融岁月忘。石瘦种来蒲叶细,土深进出笋芽长。有时夜半闻钟磬,知有招提在下方。[1]

【注释】

[1]招提:梵文音译,原指为四方僧众所设的客舍,后也泛指寺院、僧房。

[一○三]莫谓山居便自由,年无一日不怀忧。竹边婆子长偷笋,麦里儿童故放牛。栗蟥地蚕伤菜甲,野猪山鼠食禾头。[1]施为便有不如意,只得消归自己休。[2]

【注释】

[1]这首诗与一般的山居诗立意迥异,别有意趣。这几句列举数事,说明山居生活并非一般人想象的那样自由自在,也会产生很多烦恼、忧愁,这才是真实的山居。

[2]施为:作为,有为。最后两句点题:从根本上说,山中生活并没有离开人世间,仍然属于"有为法",只要是有为法,就一定会有不如意之事。再引申说,出家也是如此,不要以为出了家就一定能解决世间一切烦恼。那么怎么办呢?答案就在最后一句"消归自己"四字,"消归自己"才是真正的无为,才能获得彻底的"大休歇"。

[一〇四]庵住霞峰最上头,岩崖巇险少人游。[1]担柴出市青苔滑,负米登山白汗流。[2]口体无厌宜节俭,光阴有限莫贪求。老僧不是闲㤉㤉,[3]只要诸人放下休。

【注释】

[1]巇(xī):险。

[2]"担柴"两句:从中可以看到禅僧是在山上砍柴挑到市上去卖,换回粮食,每天都是这样劳作,并非白白地受人供养,这正是中国禅宗的优良传统。

[3]㤉㤉:啰唆,唠叨。

[一〇五]啸月眠云二十年,自怜衰老见时艰。乌来索饭上台立,僧去化粮空钵还。鰕蚬人争捞白水,[1]镢锄我且劚青山。[2]黄精食尽松花在,[3]不着闲愁寸方间。

【注释】

[1]鰕蚬(xiā xiǎn):虾和蚌蚬,也泛指小鱼。

[2]劚(zhú):挖、砍。这两句是说,别人都在争捞鱼虾,我则素食,故开山种粮。

[3]松花:松树结出的花。《本草纲目·木一·松》:"松花,别名松黄……润心肺,益气,除风止血。"

[一〇六]幽居自与世相分,苔厚林深草木熏。山色雨晴常得见,市声朝暮罕曾闻。煮茶瓦灶烧黄叶,补衲岩台剪白云。[1]人寿希逢年满百,利名何苦竞趋奔。

【注释】

[1]用天上的白云缝补衲衣,此意象常见于禅诗禅联。如"荷叶满地无线补,白云为我做禅衣"(《大智偈颂》)、"剪一片白云补衲,留半窗明月看经"(江苏海安观音禅寺禅房联)、"细剪山云缝破衲,闲捞溪月作蒲团"(浙江杭州净慈寺联)等。既是禅僧艰苦生活的写照,又富有诗意。

[一〇七]入得山来便学呆,寻常有口懒能开。他非莫与他分辨,自过应须自剪裁。[1]瓦灶通红茶已熟,纸窗生白月初来。古今谁解轻浮世,独许严陵坐钓台。[2]

【注释】

[1]"他非"两句:是说慎言无诤的道理。所谓是非人我乃分

别心的体现,真如本性圆融无碍,本无是非,只有去除分别心,才能证得真心。智旭大师阐解《论语·子路》篇"君子和而不同,小人同而不和"句的一段话,可供参考:"无诤故'和',知差别法门,故'不同';情执是'同',举一废百,故'不和'。"又《六祖坛经·忏悔品》谓:"常自见己过,不说他人好恶,是自归依。"皆为修心要法。

[2]严陵:严光,字子陵,省称严陵。东汉会稽余姚人。少曾与汉光武帝刘秀同游学。刘秀即帝位后,严光变姓名隐遁。刘秀遣人觅访,征召到京,授谏议大夫,不受,退隐垂钓于富春山。

[一〇八]溪浅泉清见石沙,屋头无角寄藤萝。夜深月下长猿啸,苔厚岩前少客过。庭竹欹斜春雪重,[1]岭梅消瘦夜寒多。寥寥此道非今古,徒把砖来石上磨。[2]

【注释】

[1]欹(qī):倾斜。

[2]"徒把"句:用禅门"磨砖成镜"典。《景德传灯录》卷五载:唐朝道一和尚常习坐禅,未能悟道。南岳怀让禅师问他:"大德坐禅为什么?"回答说:"为了作佛。"怀让即取一砖在他庵前石上磨,道一问磨砖做什么,怀让回答"磨作镜",道一奇怪地问:"磨砖岂能成镜?"怀让反问:"磨砖既不成镜,坐禅岂得成佛?"意谓如果不能认识真心大道,参禅打坐也是徒劳,但古往今来能明此理的人寥寥无几。

[一〇九]白发禅翁久住庵,衲衣风卷破褴毵。[1]溪边扫叶供炉灶,霜后苦茆覆橘柑。本有天真非造化,现成公案不须参。[2]豁开户牖当轩坐,尽日看山不下帘。

【注释】

[1]褴(lán)毵(sān):败絮。《古尊宿语录》卷六《睦州和尚偈》:"抖擞多年穿破衲,褴毵一半逐云飞。"

[2]公案:禅门对禅僧参悟过程,指点学人的文字记录。一般常说禅门公案有一千七百则,后世常以"参公案"作为修禅的方式。这句是说,大自然的造化寓含着无穷奥秘,这本身就是现成的公案,故不必去参那些文字禅。最后两句写"尽日看山",即是参大自然这个"公案"。从这个意义上说,所有的山居诗都是在参大自然这个公案。这个公案参透,自能"见道忘山"。

[一一〇]卧云深处不朝天,只在重岩野水边。竹榻梦回窗有月,砂锅粥熟灶无烟。万缘歇尽非除遣,一性圆明本自然。[1]湛若虚空常不动,任他沧海变桑田。

【注释】

[1]"万缘"两句:当代大德、著名科学家牛实为先生曾引用此诗说明"自性",节录一节供参考,有助于深刻理解此诗内涵:"自性具有灵觉,所以人被称为万物之灵。但是自性通常又被物欲、杂念、意识等活动所覆盖;只有当意识活动被转化成大智之后,自性光明才会呈现出来。古人所谓'万缘歇尽非除

遣,一性圆明本自然'。历代很多先哲,通过长期修持,直觉地体验到自性的存在,因此提出以下论点。从空间方面来说,自性灵明洞彻。……从时间方面来说,自性湛寂常恒。……从物性方面来说,自性非浊非清。……从运动方面来说,自性无背无向。……根据以上四方面的讨论,自性可以看成是一种不居万法却又不舍万法的真空灵觉状态。"(牛实为:《人性与生死的秘密》第2—3页,金城出版社,2011年)

[一一一]岳顶禅房枕石台,白云飞去又飞来。门前瀑布悬空落,屋后山峦起浪堆。素壁淡描三世佛,[1]瓦瓶香浸一枝梅。下方田地虽平坦,难及山家无点埃。[2]

【注释】

[1]三世佛:过去、现在、未来的三佛,一般指过去佛燃灯佛、现在佛释迦牟尼佛、未来佛弥勒佛。燃灯佛又译为定光佛、定光如来,久远劫以前出世的佛,为释迦牟尼佛的本师。另一种说法谓过去佛为迦叶佛。从佛法真谛说,过去的时间无穷无尽,佛也无穷无尽,这正是自性圆明之相。佛教三世佛的观念意在说明佛法从来就有,历劫长在,不能局限于人类所能认知的历史和时间。

[2]埃:尘埃。点埃:一点点尘埃。

[一一二]大道从来无盛衰,未明大道著便宜。[1]圣贤隐伏当斯世,邪法流行在此时。痛策诸根休自纵,[2]常存正念莫他为。人身一失袈裟下,万劫千生不复追。[3]

[1]便(biàn)宜:权宜方便。这两句是说,尽管大道无始无终,不生不灭,从来都在,但是生逢乱世,大道难以阐明,只能方便从事,开启下一句的"圣贤隐伏"。

[2]策:鞭策。诸根:指眼、耳、鼻、舌、身等五根。自纵:自我放纵。意谓要严持戒律,保持正念,开启下一句的"人身一失"。

[3]"人身"两句:佛门常以"人身一失,万劫难复"警醒自己,也揭示人生真正宝贵的价值所在。《宏智禅师语录》"示众"一偈可供参印:"蒿里新坟尽少年,修行莫待鬓毛斑。死生事大宜须觉,地狱时长岂等闲!道业未成何所赖?人身一失几时还?前程黑暗路头险,十二时中自着妍。"穿着袈裟的出家人尤其当自珍自重,袾宏大师《竹窗随笔》"出家利益"则引古偈:"施主一粒米,大似须弥山。若还不了道,披毛戴角还!"即说明此意。

[一一三]破屋萧萧枕石台,柴门白日为谁开?名场成队挨身入,古路无人跨脚来。[1]深夜雪寒唯火伴,五更霜冷只猿哀。袈裟零落难缝补,收卷云霞自剪裁。

【注释】

[1]这几句再次感叹:众生根机越来越陋劣,只知奔逐于名利之场,难有求道之心。细味此言,一片菩萨心肠。

[一一四]人寿相分一百年,有谁能得百年全?危如茅草郎当屋,险似风波破漏船。[1]流俗沙门真可惜,贪名师德更堪怜。[2]

寥寥世道今非昔,日把柴门紧闭关。

【注释】

[1]郎当:颓败、破败。"郎当屋"比喻生命的脆弱。下一句"破漏船"则比喻有漏之身出没于生死苦海中。人生一世不过百年,但又有多少人能够意识到生命的这种状况而发起觉悟之心呢?

[2]沙门:梵文 sramana 的音译,意为息心、静志,原为婆罗门教用语,佛教亦指出家修道者。这两句批评一些出家人自身不明大道,流于世俗,贪名求利。这些皆是佛教所谓"末法时期"的表现。

[一一五]绿雾红霞竹径深,一庵终日冷沉沉。等闲放下便无事,着意看来还有心。[1]古镜未磨含万象,洪钟才扣发圆音。[2]本源自性天真佛,[3]非色非空非古今。

【注释】

[1]等闲:随意,随便。这两句是说,有些事情,只要任运随缘,将它放下,也便无事。如果仔细观察自己的内心,就知道还有细微的妄念。这一句中的"心"指的是妄心,那个能够观察此妄心的便是"真心",而一旦对此"真心""着意",真心又成为妄心。觉察妄心生起,再用真心去观照,久而久之,真心豁然显露而无真心之相。这是一种精微的修心功夫,如《圆觉经》所说"有照有觉,俱名障碍。……照与照者,同时寂灭""远离为幻,亦复远离""不即不离,无缚无脱"等等,皆是对这种修心功夫

的描述。

[2]"古镜"两句:是对前两句修心功夫的形象描述。

[3]出自《永嘉证道歌》:"无明实性即佛性,幻化空身即法身。法身觉了无一物,本源自性天真佛。"

[一一六]优游静坐野僧家,饮啄随缘度岁华。[1]翠竹黄花闲意思,[2]白云流水淡生涯。石头莫认山中虎,弓影休疑盏里蛇。[3]林下不知尘世事,夕阳长见送归鸦。

【注释】

[1]饮啄:饮水啄食,引申为吃喝。《庄子·养生主》:"泽雉十步一啄,百步一饮。"

[2]"翠竹"句:寓含禅宗所谓"青青翠竹,尽是法身;郁郁黄华,无非般若。"但对于这句话,禅宗各派的主张是不同的,可参看《大慧普觉禅师普说》卷十五的一段讨论:"珠曰:'若见性人,道是亦得,道不是亦得,随用而说,不滞是非。若不见性人,说翠竹著翠竹,说黄华著黄华,说法身滞法身,说般若不识般若,所以皆成诤论。'师云:'国师主张青青翠竹尽是法身,直主张到底。大珠破青青翠竹不是法身,直破到底。'"

[3]"石头"两句:连用两个典故,说明"万法唯识"的道理。《史记·李将军列传》:"广出猎,见草中石,以为虎而射之,中石没镞,视之,石也。因更复射,终不能入石矣。"应劭《风俗通》记载:杜宣夏至日赴饮,见酒杯中似有蛇,但不敢不饮。酒后胸腹痛切,多方医治不愈。后得知是壁上赤弩照在杯中,其影如蛇,病即愈。《象田即念禅师语录》谓:"视夜杌,意为鬼,杌岂能迷

74

人？睹弓影，疑是蛇，影胡为毒客？心怖成境，意疑为病。如能以此推之，则可知四生如幻翳，三界若空华，唯心之旨，无外于是矣。"

[一一七]满头白发瘦崚嶒，[1]日用生涯事事能。木臼秋分春白术，[2]竹筐春半晒朱藤。黄精就买山前客，紫菜长需海外僧。谁道新年七十七，开池栽藕种茭菱。[3]

【注释】

[1]崚(léng)嶒(céng)：原指山的突兀高峻，这里用来形容人的高大清癯貌。

[2]臼：春米的器具，用石头或木头制成，中间凹下。春：把东西放在石臼或乳钵里捣掉皮壳或捣碎。

[3]全诗写随季节采摘栽种，买卖交易，过着常人一般的生活。但不同的是，他心无挂碍，一切任运随缘，正是所谓"生活禅"的真实写照。

[一一八]卜得重岩远市朝，柴门半掩草萧萧。是谁白发贫无谄，那个朱门富不骄？[1]急债莫于宽里做，[2]妄情须是静中消。白云也道青山好，夜夜飞来伴寂寥。

【注释】

[1]见《论语·学而》。子贡曰："贫而无谄，富而无骄，何如？"子曰："可也。未若贫而乐，富而好礼者也。"谄：奉承、谄媚。骄：骄慢。

[2]急债:马上要偿还的债务。宽:指经济上宽裕。这句本意是说:不要在经济宽裕时欠下急债,引申的含义是:不要在人生顺境时造作恶业。世上许多罪业莫非"宽"时所造,逆缘到时,想造业都造不了,唯有偿债的份,看看那些禽畜之类便可了然。"宽里做债"是清珙禅师一句发人深思的警世语,《石屋清珙禅师语录》卷上也说:"不清戒律,不明因果,不畏罪福,宽里做债,造地狱因。"

[一一九]风樯来往塞官塘,[1]站马如飞日夜忙。冒宠贪荣谋仕宦,[2]贪生重利作经商。人间富贵一时乐,地狱辛酸万劫长。[3]古往今来无药治,如何不早去修行。

【注释】

[1]风樯:帆船。官塘:官道、大路。

[2]冒宠:无勋德而受恩宠。

[3]"人间"两句:按照佛教典籍的描述,地狱的众生因业受报,遭受种种折磨,却"长生不死",其寿量与六欲天一样,如大焦热地狱的寿命是半中劫,无间地狱是一中劫,等等,相对于人间而言,是非常漫长的。

[一二〇]入此门来学此宗,切须仔细要推穷。清虚体寂理犹在,忖度心忘境自空。[1]树挂残云成片白,山衔落日半边红。是风动耶是幡动?不是幡兮不是风。[2]

76

【注释】

[1]"清虚"两句:清虚体指不需饮食,近似虚无,毫无障碍的身体,指法身,法身常寂却包含万理。忖度心指众生妄心,亦称遍计,此心生成我执、法执。只要忘却了这个忖度心,如如不动的空境即清虚之体就能显现。

[2]"是风动耶"两句:《六祖坛经·序品》:二僧论风幡义,一曰风动,一曰幡动,议论不已。惠能进曰:"不是风动,不是幡动,仁者心动。"此事成为著名的禅宗公案,"胡床跌坐究幡风"几乎成为参禅的代名词,其意在于揭示世界之有动相,根本原因在于众生妄心的动相。一旦此心(本体)不动,则外界的风幡(现象界)必归于不动,即是涅槃境界。

[一二一]客爱幽闲到竹篱,逢仰应恕礼全亏。[1]满头白发鬃松聚,[2]一顶袈裟撩乱披。黄叶火残终夜后,青猿声断五更时。拥衾相对蒲团坐,各自忘言契此机。

【注释】

[1]"客爱"两句:是说禅僧相逢不拘礼节,随意自然。

[2]鬃:同"蓬"。这句是说,不刻意容貌的打扮。

[一二二]百岁光阴过隙驹,几人于此审思惟。己躬下事未明白,[1]生死岸头真险巇。[2]衲定线行娇妇泪,饭香玉粒老农脂。[3]莫言施受无因果,因在果成终有时。[4]

【注释】

[1]己躬下事:躬,身体,己躬下事即自己的生死大事,无人能够替代。佛教认为,一个人不能明了生死的奥秘和真相,死后必然迷迷糊糊地投胎转世,在生死轮回中不能出离。所以世间最要紧的便是明了生死大事。

[2]险巇:危险。不明生死的人死后进入中阴身,会遭遇种种险恶境界,完全是如睡梦般糊里糊涂地随前世业力投胎转世,所以是异常危险的。

[3]"衲定"两句:是说僧人所受供养,哪怕是一针一线,一麦一粒都要格外珍惜,否则要受报应。佛教绝不认为,一个人出家为僧就可以打破因果规律,在因果面前,众生是一律平等的。

[4]"莫言"两句:阐明佛教的因果观,即:(1)果由因生:无因不能生果,有果必有其因。唯有因无缘不能生果,因缘俱足必然生果。(2)事待理成:万法生住异灭,在事相中有其普遍的理性。如生必有死,聚必有散,合必有离,成必有坏,都是必然的理则。(3)有依空立:任何生起存在的事物,都必依否定实在性的本性而生起。譬如造一间房子,房子的存在,要从种种的——木、石、瓦、匠人等因缘合成,这是"果从因生"。房子有成为房子的基本原则,如违反建造房屋的原则,即不能成为房子,这是"事待理成"。房子必依空间而建立,如此处已有房子,就不能在同一空间再建一所房子,这是"有依空立"。

[一二三]自入山来万虑澄,平怀一种任腾腾。[1]庭前树色秋来减,槛外泉声雨后增。挑荠煮茶延野客,买盆移菊送邻僧。锦

衣玉食公卿子,不及山僧有此情。

【注释】

[1]腾腾:舒缓貌。寒山诗之二六五:"腾腾自安乐,悠悠自清闲。"

[一二四]是身寿命若浮沤,[1]只好挨排过了休。[2]事欲称情常不足,人能退步便无忧。衰荣可逾花开落,聚散还同云去留。我已久忘尘世念,颓然终日倚岑楼。[3]

【注释】

[1]浮沤:水面上的泡沫。因其易生易灭而无本体,常用以比喻变化无常的世事和短暂的生命。

[2]挨排:依次排列。每个人都像排好队一样走向死亡。

[3]岑楼:高楼。

[一二五]自觉从前世念轻,老来任运乐闲情。芒鞋竹杖春三月,纸帐梅花梦五更。求佛求仙全妄想,[1]无忧无虑即修行。松风昨夜炽然说,自是聋人不肯听。

【注释】

[1]"求佛"句:将其他世间所求称为妄想,一般人容易理解,但为什么说"求佛"也是妄想呢?这必须用禅理去解读方能明了。禅宗认为,真正的佛是那个永恒不变而又遍一切处的法身,也就是彻底摆脱了妄念的真心。但很多求佛的人认为佛是

处于这个世间之外的某个神灵，这样去求佛，永远也求不到佛，因为他们根本不认识什么是佛。因此，禅师对有人前来询问"如何是佛"这个问题时，直截了当的回答就是"莫妄想"。当然也可以给出各种不同的答复，其用意都在于消除学者的妄心而已，妄心一旦消除，当下就是佛，根本不必去求。下面是从《五灯会元》等禅宗语录中摘取出若干禅师对"如何是佛"这个问题的回答，以窥一斑：僧问："如何是佛？"答："秤锤蘸醋。"僧问："如何是佛？"答："干屎橛。"僧问："如何是佛？"答："新妇骑驴阿家牵。"僧问："如何是佛？"答："头枕衡山，脚踏北岳。"僧问："如何是佛？"答："猫儿上露柱。"僧问："如何是佛？"答："春来草自青。"僧问："如何是佛？"答："明日来，向汝道，如今道不得！"僧问："如何是佛？"答："如何不是佛？"其实还可以有无数的答案。诗的尾联"松风昨夜炽然说，自是聋人不肯听"，正是此意。这是禅宗所谓"佛法在世间，不离世间觉"的真正内涵，能听到这炽然演说着佛法的松风声就不是聋人。

[一二六]逐日挨排过了休，明朝何必预先忧。[1]死生老病难期约，富贵功名不久留。湖上朱门萦蔓草，涧边游径变荒丘。所言皆是目前事，只是无人肯转头。[2]

【注释】

[1]"逐日"两句：众生妄心念念不停，轮转于过去、现在、未来，但究其实，三心皆不可得，皆是虚幻，有什么必要为那个虚幻的"未来"担忧呢？禅宗所谓"一念不生，前后际断，方可出生入死"（《佛源禅师语录》卷四）。佛门有一个《三际求心不可得

偈》:"三际求心心不有,心不有处妄缘无;妄缘无处即菩提,生死涅槃本平等。"(《楞严经集注》卷一)说的就是这个意思。过去与未来并不是"存在"的东西,而是"存在过"和"可能存在"的东西,唯一"存在"的是现在。可是"现在"在哪里呢?

[2]"目前"即现在,即当下,把流转不停的妄心定在当下,过好当下的每一刻,当下即是永恒,即是菩提涅槃,即是极乐世界。"转头"就是所谓"苦海无边,回头是岸",关键就在于肯不肯"转头"。当代高僧一行禅师在其众多著作中深刻揭示了"活在当下"的意义。如:"我们中的许多人,虽然活着,但却并不是真正意义上的活着,因为我们没能感受到当下的生命。"(《生命是一种奇迹》)"生命只存在于当下。失去了当下就是失去了生命。佛陀的意思是非常清楚的:我们必须告别过去,以便我们可以回归当下。回归当下就是同生命相接触。……独处并不意味着拒绝世界和社会。佛陀讲,独处意味着生活在当下,深入观察正在发生的事情。假如我们做到了这一点,我们将不会被卷进过去,或者被对未来的思虑所吞没。佛陀讲,如果我们不能安住在当下,即便我们生活在僻远的荼林中,我们仍算不上是真正的独处。他说,假如我们完全安住在当下,即便我们生活在拥挤的市区,我们仍然可以说是独处。"(《与生命相约》)

[一二七]白发头陀老病侵,[1]住来茅屋几年深。消磨本有凡情执,析荡今从圣量心。[2]百鸟不来山寂寂,万松长在碧沉沉。分明空劫那边事,[3]一道神光自古今。[4]

[1]头陀:梵语 dhûta 的音译,意为抖擞,去除烦恼,佛门有所谓"十二头陀行"。在中国古代主要指住在山林中,过着非常简朴、清净的生活,借此磨砺身心,获得觉悟的出家僧人。本句的"头陀"指代自己。

[2]析荡:通过对佛理的分析和理解,扫荡内心妄念。圣量心:指佛教圣人的言教。

[3]空劫:世界自成立到破坏之间,分为成、住、坏、空四阶段,称为四劫。空劫,指此时期之世界已坏灭,下一期世界形成之前、万物未生的时期。

[4]神光:精神、灵光,指真如本性。这句是说,即是在万物未生的空劫时期,真如本性也历历常在,毫无损伤。

[一二八]竞利奔名何足夸,清闲独许野僧家。心田不长无明草,[1]觉苑长开智慧华。[2]黄土坡边多蕨笋,青苔地上少尘沙。我年三十余来此,几度晴窗映落霞。

【注释】

[1]无明草:无明为烦恼之别称。指暗昧事物,不能通达真理,不能明白理解事相道理的状态,也泛指无智、愚痴。佛教认为,无明是一切烦恼和生死轮回的根本,断除无明,生死轮回的链条即中断。这一句形象地用"无明草"来比喻无明的状态,无明就像野草一样,不知什么原因就生出来,心田中的草就是无明。

[2]觉苑:修行者清净的心境。

[一二九]我本禅宗不会禅,[1]罢休林下度余年。鹑衣百结通身挂,[2]竹篾三条蓦肚缠。[3]山色溪光明祖意,鸟啼花笑悟机缘。有时独上台盘石,午夜无云月一天。

【注释】

[1]"我本"句:《景德传灯录》卷六记大会珠海禅师语:"我不会禅,并无一法可示于人。"禅宗认为,真正的禅是不可言说的,将禅说得头头是道,天花乱坠,反而离禅愈远。此即《金刚经》所说:"若言如来有所说法,则为谤佛。"

[2]鹑(chún)衣:《荀子·大略》:"子夏贫,衣若县鹑。"鹑尾秃,故用鹑衣指补缀的破旧衣衫。

[3]竹篾(miè):劈成条的竹片。这句是说,将竹篾缠在腰间,以方便行脚。

[一三〇]四十余年独隐居,不知尘世几荣枯。夜炉助暖烧松叶,午钵充饥摘野蔬。坐石看云闲意思,朝阳补衲静工夫。有人问我西来意,尽把家私说向渠。[1]

【注释】

[1]西来意:菩提达摩祖师自西方的印度来到中国弘传禅法的真意。家私:家常日用器物。渠:他。这两句是对"西来意"的一句独特解释,包含着"平常心是道"的内涵。

[一三一]蚕尾狼心满世间,[1]争先各自使机关。[2]百年能得

几回笑,一日曾无顷刻闲。[3]车覆有谁知改辙,祸来无地著羞惭。老僧不是多饶舌,[4]要与诸人揭盖缠。[5]

【注释】

[1]虿(chài):蝎子一类的毒虫。虿尾狼心,喻世间狠毒贪婪之人。

[2]机关:心机,计谋。

[3]这两句是说,众生的妄念刹那不住,没有片刻停息,生一切烦恼,是世间一切痛苦的根源。《楞严经》所谓:"狂性自歇,歇即菩提。"

[4]饶舌:多嘴,唠叨。佛教常用来比喻多说无益,但是慈悲心切,又不得不说。

[5]盖缠:即烦恼。佛教有五盖、十缠之说。五盖为:贪欲、瞋恚、睡眠、掉悔、疑;十缠包括:无惭、无愧、嫉、悭、悔、眠、掉举、昏沈、忿、覆。以上种种皆为世间众生污染心的表现,合起来统称为烦恼。

[一三二]乌兔奔忙不暂停,[1]岩居忽尔到颓龄。[2]冰边行道影偏瘦,松下看山鬓转青。红叶旋收供瓦灶,黄花时采插铜瓶。劳生好饮利名酒,[3]昏醉无由唤得醒。

【注释】

[1]乌兔:古代神话谓日中有乌,月中有兔,故以"乌兔"指日月,又引申为时光。佛教认为,时光的流逝本质上是因妄心的片刻不停。

[3]劳生:辛劳的人生,对名和利不息的追逐是劳生的根源。《庄子·大宗师》:"夫大块载我以形,劳我以生,佚我以老,息我以死。"

[一三三]茅屋青山绿水边,往来年久自相便。数株红白桃李树,一片青黄菜麦田。竹榻夜移听雨坐,纸窗晴启看云眠。人生无出清闲好,得到清闲岂偶然。[1]

【注释】

[1]此诗全写清闲之境。外境即是心境,所以能享受清闲之外境,绝非偶然。禅门所谓"清闲"非一般世俗意义上的清闲,而是指真心的觉悟之境,此真心寂而不动,与日常生活中的清闲之境契合。清代大方禅师有《和石屋禅师山居诗》一组,录其中一首以相参:"万物无常孰肯推,荣枯得失一盘棋。浮生梦幻谁能觉,旷劫尘劳若个知。一念知非心地印,无心接物月临池。为人无出清闲好,再不清闲待几时!"

[一三四]古人为道入山中,日用工夫在己躬。添石坠腰舂白米,[1]携锄带雨种青松。担泥拽石何妨道,运水搬柴好用功。[2]觯懒借衣求食者,莫来相伴老禅翁。[3]

【注释】

[1]"添石坠腰"句:用六祖惠能典故。《六祖坛经·行由品》:"次日,(五)祖潜至碓坊,见(惠)能腰石舂米,语曰:'求道之

人，为法忘躯，当如是乎？'乃问曰：'米熟也未？'惠能曰：'米熟久矣，犹欠筛在。'"禅宗认为，这些日常生活之事和普普通通的劳动，正是培养一个人心性、检验一个人行持的重要方面，可借以指点或勘验修悟境界。

[2]"运水搬柴"句：用庞居士典故。《五灯会元》卷三记庞蕴居士所作偈："日用事无别，唯吾自偶谐。头头非取舍，处处没张乖。朱紫谁为号，丘山绝点埃。神通并妙用，运水及搬柴。"若说神通，世间最平常的事情也蕴含着无穷无尽的妙谛，参禅正应从此处入手，而不是离开日常生活去别求神通。

[3]𡎺(duǒ)懒：𡎺，通"躲"，偷懒。这两句是说，那些在日常生活中都想偷懒的人是求不了大道的。

[一三五]万物生成感宿根，[1]已长彼短不须论。一团猛火利名路，三尺寒冰佛祖门。[2]草莽荆榛狐窟宅，[3]云霄蓬岛鹤乾坤。[4]满头白发居岩谷，几度凭栏到日昏。

【注释】

[1]宿根：过去世的根基、因缘。佛教认为，世间万事万物，若从根源上推求，可以推至无穷。

[2]"一团"两句：将世间名利比喻为猛火，所谓热恼无穷；将佛教比喻为寒冰，可以令人清醒，冷静地看待世间一切。

[3]草莽：荒原中的野草。荆榛：丛生灌木，多用以形容荒芜情景。

[4]上两句通过景物对比描写，对应首句，说明众生各自根基、因缘不同。

[一三六]岩居我本为修行,不许人知每自评。道性淳和余习尽,[1]觉心圆净照功成。[2]种松锄菜一身健,补衲翻经两眼明。世异事殊真好笑,避秦亦得隐山名。[3]

【注释】

[1]余习:一个人多生积累而没有断尽的习气。佛教认为,即是烦恼断除了,余习可能仍存。《维摩诘所说经》卷上:"深入缘起,断诸邪见、有无二边,无复余习。"

[2]照功:观照的功夫。观照指静观世界,以智慧而照见事理,为佛教重要的修行方法。

[3]"避秦"句:是说隐居山林的人大多如陶渊明《桃花源记》所说:"先世避秦时乱,率妻子邑人,来此绝境,不复出焉。"但这与为了修行而隐居山林貌同心异。

[一三七]历遍乾坤没处寻,偶然得住此山林。茅庵高插云霄碧,薛迳斜过竹树深。[1]人为利名惊宠辱,我因禅寂老光阴。苍松怪石无人识,犹更将心去觅心。[2]

【注释】

[1]迳:同"径"。薛迳:长满苔藓的小路。

[2]将心去觅心:禅宗话头,谓不识当下即是真心,向外去寻找真心,永远不可得。如《永嘉证道歌》谓:"不离当处常湛然,觅则知君不可见。"《普庵印肃禅师语录》卷二说:"若闻见性成佛,便兴妄心,别求知解,岂不是骑牛觅牛,将心觅心,使

佛觅佛，无有是处。何如直下承当，全不费纤毫之力。"对照前一句"苍松怪石无人识"，则无人能识的苍松怪石其实皆是真心的显露，若能即此了悟，就不会"将心觅心"了。

[一三八]年老心闲身亦闲，扫除一榻卧松间。岩扃幽寂自为喜，[1]世路崎岖人转顽。风暖野禽声琐碎，日斜华药影阑珊。藜羹粟饭家常有，[2]不用持盂更下山。

【注释】

[1]扃(jiōng)：门户。岩扃指岩洞。

[2]藜羹：用藜菜做的羹。藜藿，两种野生植物，可以食用，泛指粗劣的食物。

[一三九]清晨汲水启柴门，看见天空四敛氛。[1]黄独火香思懒瓒，[2]碧桃花谢悟灵云。[3]林间猿鹤惯曾见，世上衰荣杳不闻。几度坐来苔石暖，好山直看到斜昏。

【注释】

[1]敛氛：云气聚集。

[2]懒瓒："瓒"应作"瓒"。懒瓒为唐代禅僧，唐德宗闻其名，遣使诏之。使者至其室，宣言："天子有诏，尊者当起谢恩。"师方拨牛粪火，寻煨芋而食；寒涕垂颐，未尝答。使者笑曰："且劝尊者拭涕。"师曰："我岂有工夫为俗人拭涕耶？"竟不起。使回奏，德宗甚钦，叹之。(见《禅苑瑶林注》)《景德传灯录》卷三十载《懒瓒和尚歌》："兀然无事无改换，无事何须论一段。直心无

散乱,他事不须断。过去已过去,未来犹莫算。兀然无事坐,何曾有人唤。向外觅功夫,总是痴顽汉。粮不畜一粒,逢饭但知餐。世间多事人,相趁浑不及。我不乐生天,亦不爱福田。饥来吃饭,困来即眠。愚人笑我,智乃知焉。不是痴钝,本体如然。要去即去,要住即住。身披一破衲,脚著娘生裤。多言复多语,由来反相误。若欲度众生,无过且自度。莫谩求真佛,真佛不可见。妙性及灵台,何曾受熏炼。心是无事心,面是娘生面。劫石可移动,个中无改变。无事本无事,何须读文字。削除人我本,冥合个中意。种种劳筋骨,不如林下睡。……世事悠悠,不如山丘,青松蔽日,碧涧长流。山云当幕,夜月为钩。卧藤萝下,块石枕头。不朝天子,岂羡王侯。生死无虑,更复何忧。水月无形,我常只宁。万法皆尔,本自无生。兀然无事坐,春来草自青。"

[3]"碧桃"句:《五灯会元》卷四:灵云志勤禅师福州灵云志勤禅师,本州长溪人也。初在沩山,因见桃华悟道。有偈曰:"三十年来寻剑客,几回落叶又抽枝。自从一见桃华后,直至如今更不疑。"

[一四〇]白云深处结茅庐,随分生涯乐有余。未死且留煨芋火,[1]息机何必绝交书。[2]湛然凝寂通三际,[3]廓尔圆明裹十虚。[4]庵内不知庵外事,几番花落又还敷。

【注释】

[1]煨芋:将山芋放在火炭边烤。此亦用懒瓒典故,见上首诗注。

[2]息机:息灭心机。《楞严经》卷六:"息机归寂然,诸幻成

无性。"绝交书:断绝交谊的书信,如嵇康有《与山巨源绝交书》。这一句是说,如果妄心息灭了,触处皆真,那么连绝交书也不必写。

[3]三际:即三世,佛教指过去、现在、未来三个时段。

[4]十虚:即十方。这两句是说,觉悟了的真心没有时间和空间,湛然凝寂,廓尔圆明,便是最好的描述。如宗密《大方广圆觉修多罗了义经序》所说:"心也者,冲虚妙粹,炳焕灵明,无去无来,冥通三际,非中非外,洞彻十方,不灭不生。"

[一四一]细把浮生物理推,[1]输赢难定一盘棋。僧居青嶂闲方好,人在红尘老不知。风飏茶烟浮竹榻,[2]水流花瓣落青池。如何三万六千日,不放身心静片时。[3]

【注释】

[1]物理:事物的道理、规律。杜甫《述古三首》:"古时君臣合,可以物理推。"

[2]飏:飞扬、飘扬。

[3]"如何"两句:参看《销释金刚经科仪会要注解》卷一:"百年光景全在刹那,四大幻身岂能长久。"注:"此言百年光景,即三万六千日之光景。……盖百年光景,而被于刹那不住,念念不停,消磨尽矣,故云全在刹那。"

[一四二]怎么彻底怎么去,[1]放下从头放下来。两片唇皮堆白醭,[2]一条古路长苍苔。云边木马飞如电,海底泥牛吼似雷。[3]雪覆万峰晴月夜,暗香春信到寒梅。[4]

【注释】

[1]恁(nèn)么:宋元俗语,意为"这样""如此"。

[2]白醭(bú):东西腐烂后表面形成的白色霉状物。这里指人死亡后尸体腐烂出现的白霉,借以警醒生命的无常。

[3]云边木马:云的形状像木马,随风而逝,喻时光迅速。海底泥牛:泥牛入海底,不见踪影,喻万法性空境界。《景德传灯录》卷四《潭州龙山和尚》:"洞山又问和尚:'见个什么道理,便住此山?'师云:'我见两个泥牛斗入海,直至如今无消息。'"

[4]春信:春天的信息,常以梅花来表达春天的到来。郑谷《梅》:"江国正寒春信稳,岭头枝上雪飘飘。"

[一四三]清贫长乐道人家,日用头头自偶谐。[1]昨夜西风吹古木,天明满地是干柴。霞飘素炼粘丹壁,露滴真珠缀绿崖。活计从来随现定,[2]不劳辛苦去安排。

【注释】

[1]偶谐:和谐无碍。《景德传灯录》卷八载庞居士偈:"日用事无别,惟吾自偶谐。头头非取舍,处处没张乖。朱紫谁为号,邱山绝点埃。神通并妙用,运水及搬柴。"贯休《山居诗二十四首》:"自休自已自安排,常愿居山事偶谐。"

[2]活计:生计,生活。随现定:一切现成。

[一四四]了了常知似不知,翛然如兀又如痴。[1]旋岚倒岳镇长静,[2]一念万年终不移。[3]有耳听声风过树,无心应物月临池。

休言我独能明了,此事人人尽可为。

【注释】

[1]常知似不知:僧肇《肇论·般若无知论》谓:"般若无知,无所不知矣。"翛(xiāo)然:无拘无束的样子。兀:茫然无知的样子。

[2]旋岚倒岳:即旋岚偃岳。《肇论·物不迁论》:"旋岚偃岳而常静,江河竞注而不流,野马飘鼓而不动,日月历天而不周。"旋岚:梵文音译,又作旋兰,意为大猛风。这一句是说,能够吹倒山岳的大猛风本质上非常安静。印光法师《观河集重刻序》:"夫心者,世出世间诸法之本也。若能彻悟自心,则观一切法,悉是自心之所流露。观一切生灭迁变境界,悉是常住寂灭真如实相。《楞严》所谓'观河之见,无有童耄。'肇公所谓'旋岚偃岳而不动,江河竞注而不流',皆示此即生灭而见真常之微旨也。果能了此,则可谓了事凡夫,达本道人。"

[3]僧璨《信心铭》:"宗非促延,一念万年;无在不在,十方目前。"

[一四五]计拙惭亏应世才,[1]聪明无分占痴呆。[2]自言境物皆虚幻,谁解资财尽倘来。[3]黄叶随流闲去住,白云横谷慢徘徊。双眸合却方才好,为爱青山又放开。

【注释】

[1]惭亏:即惭愧。应世:应付世事,在世间施展抱负。这一句是说,惭愧自己没有那种应付世事的才能。

92

[2]无分:无缘。黄庭坚《江城子·忆别》:"有分看伊,无分共伊宿。"

[3]倘来:不应得而得或无意中得到。黄庚《偶成简任肃斋教论》:"富贵倘来应有命,何须弹铗扣知音。"

[一四六]圆颅方服作沙门,[1]便见牟尼佛子孙。[2]止恶防非调意马,忘机息见制心猿。[3]炼魔道性真金净,涵养灵源美玉温。[4]把手牵他行不得,为人自肯乃方亲。[5]

【注释】

[1]圆颅方服:谓出家人剃除须发,著方士服装。《紫柏老人集》卷三《法语》:"圆颅方服,顶冠束带,谓之黑白之徒。"黑指缁衣,白指白衣。沙门:梵语 Sramana 的音译,出家佛教徒的总称。

[2]牟尼:释迦牟尼。这两句是说,剃了须发,穿上僧服,成为出家人,就都是释迦牟尼的子孙。

[3]意马心猿乃中国宗教形容人的心神散乱,难以控制的常用术语。意马喻追逐名利、欲望炽盛之心如野马,心猿喻攀缘外境、浮躁不安之心有如猿猴。《诸法集要经》卷八:"善坚固诸定,则能调意马。"《维摩经·香积佛品》:"以难化之人,心如猿猴,故以若干种法,制御其心,乃可调伏。"魏伯阳《参同契》注:"心猿不定,意马四驰。"这两句用"止恶防非"与"忘机息见"说明调制意马、心猿的方法,非常贴切。

[4]炼魔:即降魔,比喻为从矿石炼出真金。涵养:滋润养育,比喻为自矿石蕴出美玉。

[5]"把手"两句:是说修道完全是自家事,别人无法替代,必须"自肯"即自悟、自修方能有所得。

[一四七]红日东升夜落西,黄昏钟了五更鸡。乾坤老我一头雪,岁月消磨百瓮齑。[1]借地栽松将作栋,吃桃吐核又成蹊。寄言世上伤弓羽,[2]好向深山择木栖。

【注释】

[1]齑:切碎的姜末等。这里借指生活的贫穷。

[2]弓羽:弓为弓箭,羽为箭上的羽毛。两者代表杀生的工具。

[一四八]法道寥寥不可模,[1]一庵深隐是良图。门前养竹高遮屋,石上分泉直到厨。猿抱子来崖果熟,[2]鹤移巢去涧松枯。[3]禅边大有闲情绪,收拾干柴向地炉。

【注释】

[1]法道:佛法之道。《古尊宿语录·慈明禅师语录》:"暨登杨大年、李都尉之门,机语契投,于是法道大振。"寥寥:稀少、冷落,指佛法衰微。模:法式,规范。

[2]"猿抱"句:暗用一个禅宗著名话头:僧问夹山善会:"如何是夹山境?"善会说:"猿抱子归青嶂里,鸟衔花落碧岩前。"(见《景德传灯录》卷十五)

[3]"鹤移"句:宋僧正觉《偈》:"寒松尽夜无虚籁,老鹤移栖空月巢。"葛天民《平居遣兴》:"风雨欲来偏感处,蚁先移穴鹤移巢。"

[一四九]浮世光阴有几何,谁能挈挈又波波。[1]厨空旋去寻黄独,[2]衲破方思剪绿荷。麈尾罢拈言语断,[3]佛经忘看蠹鱼多。[4]可怜身在袈裟下,趣境攀缘事如麻。[5]

【注释】

[1]挈挈(qiè):急切貌。柳宗元《答韦中立论师道书》:"愈以是得狂名,居长安,炊不暇熟,又挈挈而东,如是者数矣。"波波:奔波。岑参《阌乡送上官秀才归关西别业》:"风尘奈汝何,终日独波波。"这两句是说,人们在有限的生命时光中,生生世世奔波劳碌,无有停息。

[2]黄独:一种薯科植物,又名黄药。杜甫《乾元中寓居同谷县作歌》之二:"黄独无苗山雪盛,短衣数挽不掩胫。"仇兆鳌注谓:"陈藏器《本草》:黄独,遇霜雪,枯无苗,盖蹲鸱之类。蔡梦弼引别注云:黄独,岁饥土人掘以充粮,根惟一颗而色黄,故谓之黄独。"

[3]麈尾:古人闲谈时执以驱虫、掸尘的一种工具。在细长的木条两边及上端插设兽毛,或直接让兽毛垂露外面,类似马尾松。古代传说麈迁徙时,以前麈之尾为方向标志,故有此称。李白《峨眉山月歌》:"黄金狮子乘高座,白玉麈尾谈重玄。"言语断:意义深奥微妙,无法用言辞表达。《碧岩录》卷七记载:"梁武帝请傅大士讲《金刚经》,大士便于座上挥案一下,便下座。武帝愕然。志公问:'陛下还会么?'帝云:'不会'。志公云:'大士讲经竟'。"

[4]蠹鱼:又名"蟫"或"衣鱼"。书籍或衣服中生出的蛀蚀小

虫。体小,有银白色细鳞,尾分二歧,形稍如鱼。白居易《伤唐衢》诗之二:"今日开箧看,蠹鱼损文字。"引申为死啃书本的读书人。孙华《再送随庵韵》:"衰年劈𣐀烛光余,犹向残编作蠹鱼。"这两句是说:佛教的精义不是语言文字所能表达的,故不能执着于文字。

[5]趣境攀缘:佛教谓世人随着外境和外缘的变化而起心动念,有所造作,这是生死轮回的根源。唯识学论心遍行法有五,其一为:"作意(相应于心而起于所缘境,引心为业)心未起,警之令起。已起,引之趣境。"

[一五〇]道人缘虑尽,[1]触目是心光。[2]何处碧桃谢,满溪流水香。[3]草深蛇性悦,日暖蝶心狂。曾见樵翁说,云边霅昼房。[4]

【注释】

[1]缘虑:佛教所说肉团心、缘虑心、集起心、坚实心等四种心之一,即攀缘境界,思虑事物之心,指眼、耳乃至阿赖耶等八种之心识。

[2]心光:又称智光、内光,佛的智慧、慈悲心所现的大光明。当缘虑心消除后,真心本有的光明即显现出来,触目皆是。

[3]化用刘昚虚《阙题》诗句:"道由白云尽,春与青溪长。时有落花至,远随流水香。"

[4]霅(zhà):霅溪,在今浙江省湖州市南。

[一五一]一镢足生涯,居山道者家。有功惟种竹,无暇莫栽华。水碓夜春米,竹笼春焙茶。人间在何处,隐隐见桑麻。[1]

【注释】

[1]桑麻:桑树和麻,泛指农作物或农事。陶潜《归园田居》之二:"相见无杂言,但道桑麻长。"孟浩然《过故人庄》:"开筵面场圃,把酒话桑麻。"这一首写隐居山中,过着耕田种地的农夫生活,平平常常中寓含禅意。

[一五二]时时自解颜,[1]年老得安闲。心下浑无事,眼前惟有山。天空鹏鸾翼,[2]雾重豹添斑。独与梅花好,相期尽岁寒。

【注释】

[1]解颜:开颜欢笑。《列子·黄帝》:"自吾之事夫子友若人也,三年之后,心不敢念是非,口不敢言利害,始得夫子一眄而已。五年之后,心庚念是非,口庚言利害,夫子始一解颜而笑。"

[2]鸾(zhù)翼:展翅高飞。

[一五三]万缘休歇罢,一念绝中边。[1]尽日闲闲地,长年坦坦然。山空云自在,天净月孤圆。磨炼工夫到,难同知解禅。[2]

【注释】

[1]"万缘"两句:佛教传说弥勒菩萨曾造《中边分别论》(南朝真谛译)。所谓"中",指大乘根本思想之中道;所谓"边",有相互对立、极端观念之意。"绝中边"指既不执着于边,也不执着于中,彻底摆脱虚妄分别,才是真正的中道。明代憨山德清所作《居山偈》亦发明此义,但《高僧山居诗》未选入此诗,特逐

录如下："借问山中人,居山有何趣?日饱三顿粥,长伸两脚睡。磐石作禅床,云霞为盖被。微风吹幽松,发明西来意。拨落云里华,刮除眼中翳。一念绝中边,了无前后际。觉来双眼空,回视梦中事。捞捷水底月,却翻成钝滞。凡圣一齐抛,方脱娘生累。一物不将来,犹是第二义。透出无事关,始遂居山计。"这首诗中"了无前后际""凡圣一齐抛""透出无事关",以及本诗中"万缘休歇罢""山空云自在,天净月孤圆"等语句皆是"绝中边"的境界。

[2]知解禅:通过语言文字,以人类的思维妄执禅境。知解禅如雾里观花,无法参透禅的本来面貌。这里强调要有实际的禅定、参究功夫即本诗所说"磨炼工夫",才能真正契悟禅的境界。

[一五四]岩台舒野望,依约见松门。[1]唐代高僧寺,宋朝丞相坟。溪光晴泻远,野色晚来昏。山路歌声绝,樵归烟火村。

【注释】

[1]松门:门前植松树,以松为门。陆游《书怀绝句》之一:"老僧晓出松门去,手挈军持取涧泉。""军持"源于梵语,意为澡罐或净瓶。

[一五五]屈曲黄泥路,团圞紫槿篱。纸窗开竹屋,瓦灶爇松枝。平澹忘怀处,萧然绝照时。[1]何人能似我,无事亦无为。

【注释】

[1] 绝照：佛教将真理之体称为"寂"，将真智之用称为"照"。绝照即显现真实理体，超然绝待，故用"萧然"形容。宋代《圆悟佛果禅师语录》卷十五《示泉禅人》一节文字可以参考："直下忘情绝照，胸襟荡然。如痴似兀，不较得失，不争胜负，凡有违顺，悉皆截断，令不相续，悠久自然。到无为无事处，才毫发要无事，早是事生也，一波才动万波随，岂有了期。他时生死到来，脚忙手乱，只为不脱洒。但以此为确实，自然闹市里亦净如水，岂有己事不办耶？"

[一五六]深山僧住处，端的胜蓬莱。[1]地上并无草，园中却有梅。闲多诸想灭，静极自心开。一顶破禅衲，和云晒石台。

【注释】

[1]蓬莱：蓬莱山，古代传说中的神山名，常泛指仙境。

[一五七]一阵从何起，飕飕遍九垓。[1]撼他林木动，吹我竹门开。本自无形段，如何有去来。[2]欲穷穷不到，一虎笑岩台。

【注释】

[1]飕飕：风声。九垓(gāi)：中央到八极的九州之地，又作"九陔"。《国语·郑语》："王者居九陔之田，收经入以食兆民。"韦昭注："九陔，九州之极数。"

[2]形段：形迹。这两句以风的无形，看不到来去的踪迹，形容参禅者毫无挂碍拘束的内心。如《五灯会元》卷七曰："如何

是宗门中事？"师曰："从来无形段，应物不曾亏。"卷十九：上堂："本来无形段，那复有唇嘴。特地广称扬，替他说道理。"

[一五八]霞雾山头顶，云边阚小房。[1]夏凉窗近竹，冬暖合朝阳。茧纸衣裳软，[2]山田粥饭香。此生随分过，无可得思量。[3]

【注释】

[1]阚(kàn)：望。

[2]茧纸：用蚕茧制作的纸。这里指衣裳的软像茧纸一样。

[3]"此生"两句：杜荀鹤《自遣》："粝食粗衣随分过，堆金积帛欲如何？百年身后一丘土，贫富高低争几多。"莫思量亦为禅宗常用话头，如《六祖坛经》所说："汝若欲知心要，但一切善恶，都莫思量，自然得入清净心体，湛然常寂，妙用恒沙。"慧海《顿悟入道要门论》所说："汝若欲了了识无所住心时，正坐之时但知心，莫思量一切物，一切善恶都莫思量。过去事已过去而莫思量，过去心自绝，即名无过去事。未来事未至，莫愿莫求，未来心自绝，即名无未来事。现在事已现在，于一切事但知无著，无著者，不起憎爱心，即是无著，现在心自绝，即名无现在事。三世不摄，亦名无三世也。心若起去时，即莫随去，去心自绝。若住时，亦莫随住，住心自绝，即无住心，即是住无住处也。"

[一五九]一镢足生涯，长年饱水柴。有山堪寓目，无事可干怀。[1]岚气湿茅屋，苔痕上土阶。任缘终省力，浑不用安排。[2]

100

【注释】

[1]干怀：扰乱心意。《北齐书·李元忠传》："元忠虽居要任，初不以物务干怀，唯饮酒自娱，大率常醉。"

[2]"任缘"两句：不用安排乃禅宗常用话头，如《续古尊宿语要第二集》："巢知风，穴知雨，不用安排，自成规矩。历历靡缘，闲闲何偶，乐哉林鸟渊鱼，一笑相忘尔汝。""夺境也如驴觑井，夺人也如井觑驴。三千世界百亿身，不用安排只者是。"

[一六〇]山厨修午供，[1]泉白似银浆。羹熟笋鞭烂，饭炊粳米香。油煎清顶蕈，[2]醋煮紫芽姜。百味皆难及，何须说上方。[3]

【注释】

[1]午供：寺庙中所供的午斋。 赵蕃《章坞庵》："午供随斋钵，留题陟上方。"

[2]蕈(xùn)：蘑菇一类的菌类植物。

[3]上方：天上，天界。杜甫《山寺》："上方重阁晚，百里见秋毫。"

[一六一]真空如湛海，微动即成沤。[1]才受形骸报，便怀衣食忧。[2]识情奔野马，妄念走狂猴。[3]不悟空王旨，[4]轮回卒未休。

【注释】

[1]"真空"两句：上一句用宗密《圆觉经大疏》下卷论"湛海澄空观"："湛海则波澜不动，先静观以反流。澄空则水性清明，后寂观以显性。"是说真如本性如深湛的大海一样清明不动。

101

下一句用《楞严经》卷三："观父母所生之身,犹彼十方虚空之中,吹一微尘,若存若亡。如湛巨海,流一浮沤,起灭无从。了然自知,获本妙心,常住不灭。"微动代表无始无明生起,海水出现泡沫、波浪,而有生灭相。这两句揭示了佛教对生死轮回本质的认识。后面几句则揭示回复本性的途径。

[2]"才受"两句:是说一旦有了肉身形骸,便受其束缚,即《庄子》所谓"有待"。《世说新语·文学》刘孝标注引向秀、郭象《逍遥义》云:"夫大鹏之上九万,尺鷃之起榆枋,小大虽差,各任其性,苟当其分,逍遥一也。然物之芸芸,同资有待,得其所待,然后逍遥耳。"

[3]"识情"两句:参看石屋"圆颅方服作沙门"诗注。前两句说肉体,这两句说精神,解脱无非是肉体和精神两个方面。

[4]空王:对佛的尊称。佛说世界一切皆空,故称"空王"。《旧唐书·刘瞻传》:"伏望陛下尽释系囚,易怒为喜,虔奉空王之教,以资爱主之灵。"

[一六二]山家八月天,时物自相便。[1]豆荚新垂陇,稻花香满田。割茅修旧屋,斫竹觅清泉。[2]世上谁知我,优游乐晚年。

【注释】

[1]时物:应时的作物。《后汉书·章帝纪》:"宜助萌阳,以育时物。"

[2]斫(zhuó):劈砍。

[一六三]茆庵竹树间,[1]尘世不相关。门对一池水,窗开四

102

面山。烟熏茶灶黑,塺蒸布裘斑。[2]不悟空王法,缘何得此闲。

【注释】

[1]"苆"同"茅"。清代《法玺印禅师语录》亦载《山居诗》数首,其绝句第一首为:"一个苆庵一个僧,住行钵底米无升。夜来拨出无烟火,直教寒山烈焰腾。"律诗第三首为:"一个苆庵居物外,无心拾得未轻输。飘飘毳衲人同少,寂寂柴门道不孤。坐断千峰云作伴,烹残万壑月为沽。家囊虽是贫如洗,拄杖还堪出入扶。"能够有这种与"尘世不相关"的情怀,正是悟得空王法的结果,一般人是难耐那种寂寞的。

[2]塺(méi):尘土。布裘:布制的绵衣。

[一六四]红日半衔山,[1]柴门便掩关。[2]绿蒲眠褥软,白木枕头弯。松月来先照,溪云出未还。迢迢清夜梦,不肯到人间。

【注释】

[1]衔:原意为用口含住,引申为包含、蕴含。红日衔山,指太阳落山,似乎将整个山包容进去。苏轼《西湖寿星院明远堂》:"龙蜃吐云天入水,楼台倒影日衔山。"

[2]掩关:原意为关门。禅僧闭门静坐,以求觉悟亦称掩关。懒残《辞召诗》:"三十年来独掩关,使符那得到青山。休将琐末人间事,换我一生林下闲。"白居易《秋山》:"何时解尘网,此地来掩关。"

103

[一六五]扶杖出松林,闲行上翠岑。[1]鹤群冲鹘散,[2]树影落溪沉。野果棘难采,药苗香易寻。澹烟斜日暮,红叶半岩阴。

【注释】

[1]岑:小而高的山。

[2]鹘(hú):鸷鸟,又名隼(sǔn)。以下皆写外出闲行所见山野景物,描写大自然一派生机与和谐。

[一六六]好山千万叠,屋占最高层。减塑三尊佛,长明一碗灯。钟敲寒夜月,茶煮石池冰。客问西来意,惟言我不能。[1]

【注释】

[1]西来意:参看永明"散诞疏狂得自然"诗注。当别人来问什么是祖师西来意时,只是回答我不知道,这是禅宗打破学人妄想执著的一种方式。如《五灯会元》记大慧珠海禅师语:"禅客,我不会禅,并无一法可示于人。不劳久立,且自歇去。"

[一六七]取舍与行藏,[1]人生各有方。乾坤容我懒,名利使他忙。背日鸥眠埠,[2]营窠燕绕梁。情迷随物转,不得悟空王。[3]

【注释】

[1]行藏:出处或行止,亦可以表示入世与出世。《论语·述而》:"用之则行,舍之则藏。"郭印《和计敏夫留题云溪》:"知君绝学谢尘编,语默行藏不碍禅。"

[2]背日:背向太阳,即阴凉处。埠:停船的码头。

104

[3]"情迷"两句：修道要能做到心不随物转，对境无心，不被尘蒙，如此则心得自在，物随心转，否则就难以觉悟空性。

[一六八]结草便为庵，年年用覆苫。[1]纸窗松叶暗，竹屋藓华粘。麦饭惟饶火，[2]藜羹不点盐。生涯随分过，谁管世人嫌。

【注释】
[1]苫(shān)：用席、布等遮盖。
[2]饶：增添。

[一六九]凄凄茅舍新秋夜，白豆花开络纬啼。[1]山月如银牵老兴，闲行不觉过峰西。

【注释】
[1]络纬：虫名，即莎鸡，俗称络丝娘、纺织娘，叫声如纺线。舒岳祥《十虫吟》："虫有络纬婆，如缫复如纺。"

[一七〇]满山笋蕨满园茶，一树红花间白花。大抵四时春最好，就中犹好是山家。

[一七一]有人问我何年住，坐久才方省得来。门外碧桃亲手种，春光二十度花开。

[一七二]厌烦劳役爱安闲，个样如何居得山。百丈已前岩穴士，[1]生涯全在镢头边。

【注释】

[1]百丈:唐代禅僧怀海(720~814),福州长乐人,出家后多半生住于洪州百丈山(江西奉新),世称百丈禅师。他主张参禅与务农并重,留下"一日不作,一日不食"之佳话。也是中国禅宗丛林清规之制定者。岩穴士:指在山林隐居的禅僧。

[一七三]年老庵居养病身,日高犹自未开门。怕寒起坐烧松火,一曲樵歌隔坞闻。

[一七四]童子未曾归动火,水云早已到投斋。山庵喜免征徭虑,剩种青松只卖柴。

[一七五]玉堂银烛笙歌夜,金谷罗帏富贵家。[1]争似道人茅屋下,一天晴月晒梅花。[2]

【注释】

[1]金谷:晋石崇所筑的金谷园。潘岳《金谷集作》诗:"朝发晋京阳,夕次金谷湄。"后用以指富贵之家。李白《宴陶家亭子》:"若闻弦管妙,金谷不能夸。"

[2]争似:怎似。富贵之家,虽然锦帐罗帏、夜夜笙歌,但是富贵不能长保,富可敌国的石崇亦难免横死。道人之家虽然贫穷,但每天都过着富有诗意生活,趣味无穷,由此引出诗的最后一句:"一天晴月晒梅花"。

[一七六]相逢尽说世途难,自向庵中讨不安。[1]除却渊明赋归去,更无一个肯休官。[2]

【注释】

[1]"庵中讨不安",语出双关,谓那些在世上艰难度日的人常向佛庵中乞安心之法。

[2]"除却"两句:感叹世人虽然也偶然会发一点出离之心,但是很少有人能像陶渊明那样,写出《归去来辞》那样表达个人心志的作品,毅然辞官归隐。整首诗是说,一般人对世间功名利禄等难以看破、放下。

[一七七]山厨寂寂断炊烟,冻锁泉声欲雪天。面壁老僧无定力,又思乞食到人间。

[一七八]种了冬瓜便种茄,劳形苦骨做生涯。众人若要厨堂好,须是园头常在家。[1]

【注释】

[1]园头:禅林中,司掌栽培耕作菜园之职称。《敕修百丈清规》卷四"列职杂务"条谓:"园头须不惮勤苦,以身率先,栽种菜蔬,及时灌溉,供给堂厨,毋令缺乏。"

[一七九]粥去饭来何日了,日生月落几时休。都来与我无干涉,空起许多闲念头。

[一八〇]屋后青松八九树,门前紫芋两三畴。山居道者机关少,家火从头说向人。[1]

【注释】

[1]家火:原意为家中生的炉火,借指家庭日用之事,特别指生活开支,伙食费用等。苏轼《寄吴德仁兼简陈季常》:"东坡先生无一钱,十年家火烧凡铅。"

[一八一]此事谁人敢强为,除非知有莫能知。[1]分明月在梅花上,看到梅花早已迟。[2]

【注释】

[1]"除非"句:暗用《老子》第七十章:"吾言甚易知,甚易行。天下莫能知,莫能行。言有宗,事有君。夫唯无知,是以不我知。知我者希,则我者贵。是以圣人被褐而怀玉。""知有莫能知"即知道那个一般人"莫能知"的大道。句首的"此事"指修道之事,说它简单,简单到极点,说它难,又难到极点。

[2]"分明"两句:此联在后世禅门流传甚广。如《正源略集》卷七妙协启禅师:"上堂:唐明皇剑斩纸人,李将军箭穿石虎。什法师八岁能举铁磬,商邱开出入水火。所以道:毫厘系念,鹞过新罗。瞥尔情生,万劫羁锁。拈拂丝曰:者些子虽是栗棘蓬金刚圈,会得也不值涕唾,会么?分明月在梅花上,看到梅花早已迟。"《林野奇禅师语录》:"开示:现成公案不用忖量,直下洞明,了无异辙。但是诸君情存知见,意涉多途,故不证得。若肯直下承当,便见根身器界,万象森罗,一一宣明第一义谛。然虽

108

如是,只许老胡知,不许老胡会。何故?不见道:分明月在梅花上,看到梅花早已迟。"皆言修道之心得,可以参看。

[一八二]过去事已过去了,未来不必预思量。只今便道即今句,梅子熟时栀子香。[1]

【注释】

[1]全诗意谓:在永恒不停流动的时间长河中,过去、未来皆属虚妄。沉湎过去,谋算未来,都是徒增烦恼,人最重要的是把握好当下的生活,活在当下,心若能恒定于当下,当下即是佛。"梅子熟"为禅宗著名公案,谓成佛时机已到。《景德传灯录》卷七:"大寂闻师住山,乃令一僧到问云:'和尚见马师得个什么便住此山?'师云:'马师向我道即心即佛,我便向遮里住。'僧云:'马师近日佛法又别。'师云:'作么生别?'僧云:'近日又道非心非佛。'师云:'遮老汉惑乱人未有了日,任汝非心非佛,我只管即心即佛。'其僧回,举似马祖,祖云:'大众!梅子熟也。'"此首诗后世流传甚广,以其直道出"活在当下"的意义。如清代《无幻禅师语录》:"示众:'石屋珙大师道:过去事已过去了,未来不必预思量。只今便道只今句,梅子熟时栀子香。大众,且道只今便道只今句,为甚么梅子熟时栀子香,还会么?岂不见丹霞和尚又道:过去诸佛已过去了,你等不必追念;未来诸佛又且未至,你等莫妄想;现在佛正当今日,你是何人?'"近代弘一法师亦将此诗采入其所编佛教格言集《晚晴集》中。

[一八三]一日打眠三五度,也消不得许多闲。循环数遍琅

玕竹，[1]又出青松望远山。

【注释】

[1]琅玕:形容竹之青翠。杜甫《郑驸马宅宴洞中》:"主家阴洞细烟雾,留客夏簟青琅玕。"仇兆鳌注:"青琅玕,比竹簟之苍翠。"

[一八四]攀缘起倒易消停,卒急难除是爱憎。[1]我笑青山高突兀,青山嫌我瘦崚嶒。

【注释】

[1]攀缘:指凡夫之心执著于某一对象,时常攀缘外境,随外境而转,没有一刻宁静。爱憎为凡夫对事物生起的情执。这两句是说,攀缘心还好消除,但爱憎心与生俱来,非常难以消除。《大般若波罗蜜多经》卷四百八十九:"云何名为离爱憎三摩地?谓若住此三摩地时,于诸等持及一切法,都不见有爱憎之相,是故名为离爱憎三摩地。"可见"离爱憎"为佛教修行的重要目标。

[一八五]真空湛寂惟常在,[1]不觉良由妄所朦。[2]真性何曾离妄有,花开花落自春风。

【注释】

[1]真空湛寂:中国佛教认为,真空即心本具之智体,此体灵明洞彻,湛寂常恒。不生不灭,无始无终。竖穷三际,横遍十

方。谓之为空,则万德圆彰;谓之为有,则一尘不立。即一切法,离一切相。在凡不减,在圣不增。

[2]"不觉"句:人不能觉悟,是由于颠倒妄想,妄想灭去,真性即现前。

[一八六]天湖水湛琉璃碧,霞雾山围锦幛红。触目本来成现事,[1]何须叉手问禅翁。[2]

【注释】

[1]触目:目光所及。"触目现成"为禅宗常见话头,谓道寓于生活日用之中。

[2]禅翁:老禅师。白居易曾作偈呈道林禅师,谓:"特入空门问苦空,敢将禅事叩禅翁。为当梦是浮生事,为复浮生是梦中?"(见《佛祖纲目》卷三十二)

[一八七]年老气衰真个懒,晨朝更不见和南。[1]客来无语相抵对,辛苦空劳到草庵。[2]

【注释】

[1]和南:梵语 vandana 之音译,意为稽首、礼敬。这句诗是说,晨起不愿被信众礼敬。

[2]这两句是说,辛苦进山前来礼拜我的信众可能会失望,因为我见到他们,只是相对无语,并没有什么高明的开示。此诗看似平常,实亦含佛理妙义。佛法精微,无可言说,佛法真谛不是语言文字所能表达的,故无语可能包含着千言万语。正如

《五灯会元》卷三记沩山禅师与人问答："去时有甚么语？"曰："无语。"沩曰："莫道无语，其声如雷。"

[一八八]老去一身都是懒，闲来百念尽成灰。与兄相见略弹指，[1]无奈人情强接陪。

【注释】

[1]弹指：捻弹手指作声，佛教多用以喻时间短暂。但此处"弹指"使用的是另一意，即《妙法莲华经·神力品》中的"一时謦欬，俱共弹指"。智顗《文句》谓："弹指者，随喜也。"随喜为佛教常用名词，有两意，一指见人做善事或离苦得乐而心生欢喜。二指随着他人的欢喜而欢喜。这首诗是说，与人相见、世俗应酬等固然不能完全避免，但只用一种随喜的心即可，不必太过着意。下面"无奈人情"即是感叹，世人不以道业为重，将时光浪费在"接陪"这类应酬之中。

[一八九]山地无尘长不扫，柴门有客扣方开。雪晴斜月侵檐冷，梅影一枝窗上来。[1]

【注释】

[1]此诗全写山中清净之境。无尘既指自然环境，如唐代常衮《登栖霞寺》："林香雨气新，山寺绿无尘。遂结云外侣，共游天上春。"更指人的心境。佛教将色、声、香、味、触、法称之为"六尘"，相对于眼、耳等六根，以坌污净心，故称之为尘。《圆觉经》："妄认四大为自身相，六尘缘影为自心相。"《净心诚观》卷

下:"云何名尘?坌污净心,触身成垢,故名尘。"心地清净,则所居无尘,不须打扫。

[一九〇]茅屋低低三两间,团团环绕尽青山。竹床不许闲云宿,日未斜时便掩关。[1]

【注释】

[1]这一首写得诗意盎然,即事即理,连那一向被视为代表着"闲情""自由"意象的云,竟也来向老僧来"借闲""借宿",衬托出山居僧人内心无限的闲意以及"我是主人翁"的自由自在的境界。

[一九一]禅兄何事到烟萝,[1]老我生涯苦不多。岩下木樨香满树,园中菜甲绿成窠。[2]

【注释】

[1]烟萝:草树茂密,烟雾缭绕,借指隐居之地。此诗为对前来探望他的师兄的自白。

[2]木樨:木樨花,即桂花。雪机纲禅师偈:"水边林下旧生涯,梦里还家未是家。昨夜月明归兴动,西风一阵木樨花。"(《宗鉴法林》卷三十二)菜甲:菜初生的叶芽。杜甫《有客》:"自锄稀菜甲,小摘为情亲。"

[一九二]一片无尘新雨地,半边有藓古时松。目前景物人皆见,取用谁知各不同。[1]

【注释】

[1]取用:获得和使用。景物虽同,但每个人的感受不同,亦是万法唯心所现的道理。

[一九三]万境万机俱寝息,一知一见尽消融。[1]闲闲两耳全无用,坐到晨鸡与暮钟。

【注释】

[1]知见指众生依自己的思虑分别而生起的见解,与智慧有别。只有将这种妄知妄见消融,大智慧才能生起。

[一九四]岩房终日寂寥寥,世念何曾有一毫。虽着衣裳吃粥饭,恰如死了未曾烧。[1]

【注释】

[1]佛教常将"死"字挂在心头,很容易被人误解,认为佛教非常消极或者贪生怕死。其实佛教认为,人的生命是死不了的,生生世世在轮回着。所以须"死"的是心,也就是第二句的"世念何曾有一毫"。

[一九五]新缝纸被烘来暖,[1]一觉安眠到五更。闻得上方钟鼓动,[2]又添一日在浮生。

【注释】

[1]纸被:古时用藤纤维纸制成的一种被子。

[2]上方:天上、上界,引申为住持僧居住的内室。孔武仲《清凉寺》:"白寺荒湾略叙舟,携筇来作上方游。"

[一九六]门前枯木似人立,屋后好山如浪堆。老我为人无可说,高高云路赚兄来。[1]

【注释】

[1]云路:高山上被烟云笼罩着的山路。卢照邻《赠益府裴录事》:"青山云路深,丹墀月华临。"

[一九七]山形凹凸路高低,石占云头屋占蹊。[1]地窄栽来蔬菜少,又营小圃在桥西。

【注释】

[1]占:占有,据有。温庭筠《太子西池二首》:"柳占三春色,莺偷百鸟声。"

[一九八]百年日月闲中度,八万尘劳静处消。[1]绿水光中山影转,红炉焰上雪花飘。[2]

【注释】

[1]尘劳:烦恼。佛教以八万四千为数量极多的形容词,又可简称八万。《华严经》卷三十五:"或说八万四,乃至无量行。"

[2]禅宗常用"红炉片雪"表示纤尘不立、片刻即成的悟心。如宋代慧勤禅师有"去年今日时,红炉片雪飞";真歇了禅师有"幻妄浮尘,红炉片雪"之句。片雪代表烦恼,红炉象征锤炼。片雪在红炉上消失得无影无踪,即通过修行将烦恼斩断。

[一九九]西方有路不肯去,[1]地狱无门斗要过。[2]金阁银台仙子小,镬汤炉炭罪人多。[3]

【注释】

[1]西方:指阿弥陀佛建立之西方极乐世界。在中国影响极大的净土宗法门认为,一个人只要相信有一个无限美好的西方极乐世界,愿意来生生到那里,只要诚恳念诵"南无阿弥陀佛"名号,即可以实现。因此说西方极乐世界虽然遥远,但是想去却并不难,故成为中国佛教徒一种普遍信仰。

[2]地狱无门:佛教认为,地狱并非一种物质性的存在,它只是作恶的人内心感召的境界,因此说地狱无门。但世上的人却争相涌向这个无间的地狱。斗:争相、比赛。虽然地狱只是一种幻象,但是对于身处其中的人来说又是如此真实,这就是佛教的世界观。此诗感叹世人作恶多,为善少,又引出后面两句。正如《莲修起信论》卷二所说:"地狱无门实有门,循环对报一时成。弥陀虽有无边力,难度无明苦众生。"

[3]金阁银台:指西方极乐世界的人所处的美妙境界。镬汤炉炭:指地狱中人所处的众苦交煎的境界。据佛经《正法念处经》卷七等记载,有所谓"镬汤地狱",即以锅镬煮沸汤,置罪人于其中,以惩其生前罪行的地狱。

[二〇〇]着意求真真转远,拟心断妄妄犹多。道人一种平怀处,[1]月在青天影在波。[2]

【注释】

[1]此诗全写禅宗无所求亦无所得的真超脱、不执着精神。只要有求便是妄,想求真的心也是求,想断妄的念头即是妄。"平怀"二字为全诗主脑,所谓"平怀"即平平常常,别无奇特,禅宗三祖僧璨《信心铭》所谓"一种平怀,泯然自尽"。

[2]"月在青天"一句化用唐代李翱事。据《五灯会元》卷五记载:鼎州李翱刺史向药山玄化,……问曰:"如何是道?"山以手指上下,曰:"会么?"守曰:"不会。"山曰:"云在青天水在瓶。"守忻惬作礼,而述偈曰:"炼得身形似鹤形,千株松下两函经。我来问道无余说,云在青天水在瓶。"

[二〇一]要求作佛真个易,唯断妄心真个难。[1]几度霜天明月夜,坐来觉得五更寒。

【注释】

[1]成佛易是因为真如佛性本来具足,并非外来,所谓"人人具足,个个圆成";但成佛又很难,这是因为众生无始劫来皆用妄心,只要断除妄心,真心自然现前,故最关键的便是断妄心。

[二〇二]万缘脱去心无事,诸有空来性坦然。几度夜窗虚吐白,月和流水到门前。

[二〇三]一事无心万事休,也无欢喜也无忧。无心莫谓便无事,尚有无心个念头。[1]

【注释】

[1]真正的修行是将这个"无心"的念头也斩断,这才是真正的无心。杜荀鹤《题著禅师》一诗可以参考:"大道本无幻,常情自有魔。人皆迷著此,师独悟如何? 为岳开窗阔,因虫长草多。说空空说得,空得到空么?"

[二〇四]于事无心风过树,于心无事月行空。[1]风声月色消磨尽,去却一重还一重。

【注释】

[1]此诗拈出的"于事无心"和"于心无事",实为参悟要旨。"风过树""月行空"谓一切皆空,无丝毫挂碍。参看《金刚经宗通》引德山上堂法语:"汝但于事无心,无心于事,则虚而灵,空而妙。若毛端许言之本末者,皆为自欺。何故? 毫厘系念,三涂业因;瞥尔情生,万劫羁锁;圣名凡号,尽是虚声;殊相劣形,皆为幻色。汝欲求之,得无累乎? 及其厌之,又成大患,终而无益。"可见禅宗所谓"无心"须是彻底无心,如此才虚而灵,空而妙,既无所求,也无所厌,两边皆不著。这种对心性的消磨、锻炼确实是"一重还一重"。

[二〇五]新年头了旧年尾,明日四兮今日三。道业未成空

白首,大千无处着羞惭。[1]

【注释】

[1]这首诗表层上是感叹时光易逝,道业无成,因而很惭愧。此外还有更深一层含义:新年头、旧年尾,新年旧年连续不断,今日之新年亦成明年之旧年,无穷无尽,时光的轮回正是生命轮回的表征。只有修成道业即获得觉悟,才能从这种轮回中超脱出来。故"空白首"不仅言今生今世,亦言多生多世皆是如此,这才是禅师所感叹的。

[二〇六]白发催人瘦入肩,住来茅屋已多年。裈无腰带裤无口,[1]一领褊衫没半边。[2]

【注释】

[1]裈(kūn),古代指满裆裤,裤则包含满裆裤和小儿穿的开裆裤两类。

[2]褊衫:一种僧服,开脊接领,斜披在左肩上,类似袈裟。

[二〇七]一轴《楞伽》看未周,[1]夕阳斜影水东流。云归自就茅檐宿,一日光阴又早休。

【注释】

[1]《楞伽》:指《楞伽经》,中国禅宗修行所依据的重要经典,有多种译本,一为刘宋求那跋陀罗译本,名《楞伽阿跋多罗宝经》,四卷,名四卷楞伽;二为北魏菩提流支译本,名《入楞伽

经》，十卷，名十卷楞伽。三为唐实叉难陀译本，名《大乘入楞伽经》，七卷，名七卷楞伽。其中四卷本《楞伽经》传说为菩提达摩传法所用，更为禅宗所重。看未周：没有读完。禅宗认为读经不是目的，经中文字是供参悟之用，一旦了悟，则片言只语皆是法宝，若不能了悟，纵使读遍大藏经也无济于事。

[二〇八]茅檐雨过日头红，瞬息阴晴便不同。况是死生呼吸事，[1]黄昏难保听朝钟。

【注释】

[1]死生呼吸事：《四十二章经》载：佛问诸沙门："人命在几间？"对曰："在数日间。"佛言："子未能为道。"复问一沙门："人命在几间？"对曰："在饭食间。""去！子未能为道。"复问一沙门："人命在几间？"对曰："呼吸之间。"佛言："善哉，子可谓为道者矣。"佛教极言死生呼吸事，一息不来，即成隔世，故要"但念无常，慎勿放逸"，显示了佛教对生命意义的珍重。

[二〇九]明明见了非他见，了了常知无别知。[1]记得去秋烟雨里，猿来偷去一双梨。

【注释】

[1]"明明"两句：是说禅门的知见不同于世俗知见，是知而无知，见而无见。清代《林野和尚语录》上堂说法曾引此语，引以参考："示众。古人道：明明百草头，明明祖师意，只许老胡知，不许老胡会，所谓眼里着沙不得，耳里着水不得，汝等还委

120

悉么？如未委悉，老僧再将平日受用处，与汝诸人通个消息。明明见了非他见，了了常知无别知。村月如银牵老兴，闲行不觉过溪西。"

[二一〇]半窗松影半窗月，[1]一个蒲团一个僧。盘膝坐来中夜后，飞蛾扑灭佛前灯。

【注释】

[1]宋代禅僧绍昙《颂古》有句："霜拂金鞍玉坠腰，鸡声催入紫宸朝。何如云窦饱清梦，残月半窗松影摇。"谓世人一生奔波劳碌，追求功名利禄，不如片晌山林清坐。此意与本诗末句"飞蛾扑灭佛前灯"相契合，飞蛾扑火在佛教中常用来比喻不明真相而苦苦追求，自寻死路、自取灭亡，正是对世人贪欲的写照。这一句可能既是禅坐时的写实，又寓含哲理。此句亦成后世禅悟的话头，如《何一自禅师语录》载：晚参，问："半窗松影半窗月，是何境界？"师云："莫认境界。"乃卓拄杖一卓云："会么？恁么向你道，为什么不会？"又卓一卓，云："杖前无限松风意，散步归来月正圆。"

[二一一]长年心里浑无事，每日庵中乐有余。饭罢浓煎茶吃了，池边坐石数游鱼。

[二一二]饭炊五合陈黄米，羹煮数茎青荠苗。淡薄自然滋味好，何须更要著姜椒。

[二一三]移家深入乱峰西,烟树重重隔远溪。年老心闲贪睡稳,厌闻钟响与鸡啼。

[二一四]山风吹破故窗纸,片片雪花飞入来。添尽布裘浑不暖,拾枯深拨地炉灰。

[二一五]半窗斜日冷生光,破衲蒙头坐竹床。枯叶满炉烧焰火,不知屋上有寒霜。

[二一六]几树山花红灼灼,一池春水绿漪漪。衲僧若具超宗眼,不待无情为发机。[1]

【注释】

[1]无情:佛教将物分为"有情"与"无情"两类。情指情识,即所谓精神、思想、感情等,包括人类、诸天、饿鬼、畜生等生物,无情则指植物和矿物,如本诗前两句所说山花和春水皆属无情之物。发机:启发机杼。

[二一七]云未归时便掩扃,柴床眠稳思冥冥。山家不养鸡和犬,日到茅檐梦未醒。

[二一八]粥去饭来茶吃了,开窗独坐看青山。细推百亿阎浮界,[1]白日无人似我闲。

122

[1]阎浮：阎浮本为梵语音译的一种树名，阎浮界指多有阎浮树的世界，即阎浮提，亦称南赡部洲，佛教经典中所称四大洲中的南部洲名，因赡部(即"阎浮"的另一音译)树得名，为人类等生物居处。晋译《华严经》卷五："尔时光明过十世界，遍照东方百世界，乃至上方亦复如是。彼一一世界中，百亿阎浮提，乃至亿色究竟天，世界所有一切悉现。如此见佛坐莲华藏师子座上，有十佛世界尘数菩萨眷属围绕，彼一一世界中，百亿阎浮提亦复如是。"

[二一九]黑雾浓云拨不开，忽然去了忽然来。任他伎俩自磨灭，红日依前照石台。[1]

【注释】

[1]黑雾浓云指妄心、烦恼；红日指真心、佛性。此诗用形象化的诗句揭示了真心和妄心之间的关系。当然，此诗亦可做其他解读，比如以黑雾浓云指人生逆境，红日指坚定的意志等皆可。

[二二〇]一天红日晓东南，自拔青苗插瘦田。[1]布裰半沾泥水湿，[2]归来脱晒竹房前。

【注释】

[1]瘦田：瘠薄之田。孟郊《秋夕述怀》："浅井不供饮，瘦田长废耕。"

[2]裰(duō)：古人穿的斜领大袖式家居常服。

[二二一]吃桃吐核核成树，树大花开又结桃。春去秋来知几度，争教我不白头毛。[1]

【注释】

[1]此诗明因果循环之理，亦即生命轮回之理。

[二二二]茅屋方方一丈悭，[1]四檐松竹四围山。老僧自住尚狭窄，那许云来借半间。[2]

【注释】

[1]悭：不多、稀少。

[2]参看祁伟、周裕锴《从禅意的"云"到禅意的"屋"——禅宗山居诗中两个意象的分析》一文的分析：与中晚唐时期相比，宋元山居诗中僧人与云的关系完全颠倒过来：从前是僧人羡慕"白云常自闲"，希望"长伴白云闲"；此时则是云慕僧闲，希望借得僧闲。

[二二三]临机切莫避刀枪，[1]拼死和他战一场。[2]打得赵州关子破，[3]大千无处不归降。

【注释】

[1]临机：面临机缘的变化情势。《禅林僧宝传》卷六《澧州洛浦安禅师》："学道先须识得自己宗旨，方可临机不失其宜。"

刀枪:此处喻机锋。

[2]参禅关键时刻如同上战场,须拼死力战方能取胜。"他"指妄念,参禅从本质上说即是真心与妄念之间的搏斗,即《金刚经》所谓"降服其心",又如《黑豆集》卷八谓:"做知识当如将军临敌,衲僧家当如处女防身。"

[3]《赵州和尚语录》:师问:"新到,从什么处来?"云:"南方来。"师云:"还知有赵州关么?"云:"须知赵州关者。"师叱云:"者贩私盐汉。"又云:"兄弟,赵州关,也难过。"云:"如何是赵州关?"师云:"石桥是。"赵州关本为云居山上入真如寺之隘口,唐时赵州从谂禅师曾专程登云居山拜访道膺禅师,后用以指参禅时难以而又必须突破的障碍。圜悟克勤禅偈:"老婆勘破五台山,有谁参透赵州关?"

[二二四]有限光阴一百年,几人得到百年全。纵饶百岁终归死,只是相分后与前。[1]

【注释】

[1]此首辨析佛教的一个重要理念:学佛的目的究竟何在?佛教从来不以追求长生不死作为自己的目的,因为它从缘起论这一根本理论出发认识生命现象:有生必有死,只有无生才能无死,即进入不生不灭的涅槃境界。今生这个血肉之身是前世种种业报的结果,不管你怎样珍惜、呵护,也不管你是否愿意去死,人终有一死,只是早晚的事。所以关键不在于死与不死,而在于死前是否能够觉悟大道以及如何面对死亡的心态,这就是悟与不悟最根本的界限所在。

[二二五]一大藏经闲故纸，[1]一千七百葛藤窠。[2]谁能去讨他分晓，起个念头犹是多。[3]

【注释】

[1]禅宗为打破学人对语言文字的执着，往往用"故纸"来形容经典，如《五灯会元》卷一五东禅秀禅师："僧问：'如何是一代教？'师曰：'多年故纸'。"；卷一六兴化绍铣禅师："一大藏教是拭不净故纸。"等等。这种观念来自庄子，《庄子·天运》记老子的话："夫《六经》，先王之陈迹也，岂其所以迹哉！"《天道》篇轮扁讥桓公读书说："然则君之所读者，古人之糟魄已夫！"参看《五灯会元》卷四载神赞禅师偈："空门不肯出，投窗也大痴；百年钻故纸，何日出头时！"

[2]葛藤：指文字、语言有如葛藤的蔓延交错，本是用来解释、说明事相，反遭其缠绕束缚。宋代编撰的五种灯录中大约收录一千七百则公案，故称一千七百葛藤。

[3]对于真正的觉悟者来说，世间一切言辞解说皆为妄念，只有真正做到无念，方是究竟。这种观念在禅宗中非常普遍，如有人问南泉和尚："黄梅(弘忍)门下有五百人，为什么卢行者(惠能)独得衣钵？"南泉云："只为四百九十九人尽会佛法，唯有卢行者一人不会，所以得他衣钵。"(《祖堂集》卷十六)

[二二六]溪边黄叶水去住，岭上白云风往来。争似老僧常不动，长年无事坐岩台。

[二二七]霞雾山高路又遥。庵居从简篾三条。[1]却嫌住处太危险,落赚多人登陟劳。[2]

【注释】

[1]篾(miè),劈成条的竹片。这句是说,用三条竹片束于腰间。

[2]"却嫌"两句:大家都说这样的禅房住着太危险,需要加固,于是有很多人在山林间劳碌地登陟来往帮助加固禅房,这让老禅师感到很过意不去。这首诗典型地体现了一位真正的修道者对于世间事无所谓的心态。

[二二八]老觉形枯气力衰,客来勉强出支陪。自怜不解藏踪迹,松食荷衣忆大梅。[1]

【注释】

[1]大梅,指唐代明州大梅山法常禅师,常年隐居深山,曾作偈说:"摧残枯木倚寒林,几度逢春不变心。樵客遇之犹不顾,郢人那得苦追寻。一池荷叶衣无尽,数树松花食有余。刚被世人知住处,又移茅舍入深居。"(《五灯会元》卷三)

[二二九]道人屋冷四檐竹,长者门高百尺墙。屋冷道人心愈静,门高长者日多忙。[1]

【注释】

[1]这首诗将一个远离世俗热闹的道人和一个热衷于世俗

功业的长者相对照,写出两种人生观的不同。

[二三〇]尽道凡心非佛性,我言佛性即凡心。[1]工夫只怕无人做,铁杵磨教作线针。

【注释】
[1]"尽道"两句:"佛性即凡心"是中国大乘佛教的根本主张之一。其思想根源是融合真俗二谛,如天台宗智顗法师用一个比喻解释"无明即法性"说:"如为不识水人,指水是水。指水是水,但有名字,宁复有二物相即耶?"天台宗湛然法师说:"无明即法性,无明复以法性为本,当知诸法亦以法性为本。"(《法华玄义释》卷十五)

[二三一]南北东西去复还,陆行车马水行船。利名门路如天远,走杀世间人万千。[1]

【注释】
[1]这首诗感叹世人皆为名利奔波,出没生死,而不明大道。

[二三二]居山那得有工夫,种了冬瓜便种瓠。[1]设使一毫功不及,许多田地尽荒芜。[2]

【注释】
[1]瓠(hù):瓠瓜,俗称葫芦。

[2]田地:喻指心田。如宋代《宏智禅师广录》卷六:"心田法地,是万像出生根源。种性不枯,花叶遍界。所以道:一粒在荒田,不耘苗自秀。"

[二三三]离众多年无坐具,[1]入山长久没袈裟。[2]单单有个铁铛[3]子,留待人来煮瀑花。

【注释】

[1]坐具:梵语"尼师檀"的意译,僧人用来护衣、护身、护床席卧具的布巾。

[2]袈裟:梵文 kasa 的音译。原意为"不正色",指佛教僧尼的法衣。坐具和袈裟是一般僧人必备之物,但老禅师却没有这两样东西,体现了一个禅宗修行者不拘形式,任运自然的情怀。

[3]铛:一种三足浅底锅。

[二三四]布衣破绽种青麻,粮食无时刈早禾。辛苦做来牵补过,复身免得报檀那。[1]

【注释】

[1]檀那:梵语 dana 的音译,指供养僧众的在家信众,意译为施主。

[二三五]饭香麦麨和松粉,[1]菜好藤花杂笋鞭。我已尽形无别念,[2]任他作佛与生天。

【注释】

[1]麨(chǎo)：炒的米粉或面粉。

[2]尽形：又作"尽形寿"，指一期有形体、有寿量的生命，即今生今世。

[二三六]山居活计镢头边，衣食须营岂自然。种稻下田泥没膝，卖柴出市檐磨肩。

[二三七]镢头添铁屋头悬，健即锄云倦即眠。红日正中黄独熟，[1]甘香不在火炉边。

【注释】

[1]黄独：又名黄药，多年生缠绕藤本。地下有球形或圆锥形块茎，叶腋内常生球形或卵圆形珠芽，大小不一，外皮黄褐色，可以食用。

[二三八]团团一个尖头屋，外面谁知里面宽。世界大千都着了，[1]尚余闲地放蒲团。

【注释】

[1]大千：佛教认为，合四大洲七山八海为一小世界，合小世界一千曰小千世界。合小千世界一千，曰中千世界。合中千世界一千，曰大千世界。都着了：将大千世界皆容纳进小屋中。这是佛教"广狭自在无碍门"的体现。如法藏《华严策林》所说："大必收小，方得名大；小必容大，乃得小称。是知大是小大，小

130

是大小。小无定性,终自遍于十方;大非定形,历劫皎于一世。则知小时正大,芥子纳于须弥;大时正小,海水纳于毛孔。"

[二三九]草庵盘结长松下,面面轩窗尽豁开。目对青山终日坐,更无一事上心来。

[二四〇]深秋时节雨霏霏,藓叶层层印虎蹄。一夜西风吹不住,晓来黄叶与阶齐。

[二四一]团团红日上青山,竹屋柴门尚闭关。白发老僧眠未起,劳生磨蚁正循环。[1]

【注释】

[1]《晋书·天文志上》:"天旁转如推磨而左行,日月右行,随天左转……譬之于蚁行磨石之上,磨左旋而蚁右去,磨疾而蚁迟,故不得不随磨以左迴焉。"后以"磨蚁"喻指日月在天体中运行,又用以喻指人生之轮回。黄庭坚《金陵》:"青天行日月,坐揽磨蚁旋。"陈与义《述怀呈十七家叔》:"浮生万事蚁旋磨,冷官十年鱼上竿。"

[二四二]山舍清幽绝点尘,心间与世自相分。不知何处碧桃放,幽鸟衔来绕竹门。

[二四三]老来无事可干怀,竹榻高眠日枕斜。梦里不知谁是我,[1]觉来新月到梅花。

[1]此句暗用《庄子·齐物论》所写"梦蝶"典:"昔者庄周梦为蝴蝶,栩栩然蝴蝶也。自喻适志与,不知周也。俄然觉,则蘧蘧然周也。不知周之梦为蝴蝶与,蝴蝶之梦为周与?周与蝴蝶,则必有分矣。此之谓物化。"

[二四四]禅余高诵寒山偈,[1]饭后浓煎谷雨茶。[2]尚有闲情无着处,携篮过岭采藤花。

【注释】

[1]寒山偈:寒山,唐代诗僧,隐居于天台县西的寒岩幽窟中,人称寒山子。留有诗偈三百余首,名《寒山诗》。由此句可见:禅僧在禅坐之余吟诵寒山等诗僧或者自己的诗作,也是禅修的方式之一。

[2]谷雨茶:谷雨时节采摘的茶叶。

[二四五]僧因产业致差科,[1]官府勾追耻辱多。我有山田三亩半,尽情回付与檀那。

【注释】

[1]差科:指差役和赋税。杜甫《遭田父泥饮美严中丞》:"差科死则已,誓不举家走。"这首诗揭示了一个道理:古代寺院和僧侣的重要收入是"营生""自供",包括垦殖田圃、商旅博易、聚畜委积、占相卖卜、行医治病等,经营俗业、管理财务,成为寺院的一种重要职能。封建社会国家为了管理寺院,亦对一些

寺院实行征税。很多禅僧认为，这与出家修道者的本怀和目的是相违背的，因此主张不蓄产业，维持最低生活标准，这样才能真正逍遥自在。

[二四六]楮阁安炉种炭团，床铺新荐被新棉。[1]一冬暖活如何说，梦想不思兜率天。[2]

【注释】

[1]荐：草席。

[2]兜率天：参看石屋"纸窗竹屋榰篱笆"诗注。

[二四七]去年家火缺支持，[1]家火今年用不亏。田里多收三斗谷，门前添得一方池。

【注释】

[1]家火：参看石屋"屋后青松八九树"诗注。

[二四八]白云影里尖头屋，黄叶堆头折脚铛。[1]漏笊篱撩无米饭，破砂盆捣烂生姜。

【注释】

[1]折脚铛：断了脚的铁锅。《景德传灯录·汾州大达无业国师》："茅茨石室，向折脚铛子里煮饭喫过三十二十年，名利不干怀，财宝不为念，大忘人世，隐迹岩丛。"《续古尊宿语要》第二集：药山谓云岩曰："与我唤沙弥来。"岩曰："和尚唤他作什

么?"山曰:"我有个折脚铛子要伊提上挈下。"大沩云:"药山折脚铛子,若无云岩,几成废器。大沩亦有个折脚铛子,要诸人亦各出一只手,且图古风不坠。"师云:"瑞岩亦有个折脚铛子,传来既久。直得唇嘴耳脱,声韵都无,有时飏在壁角落头,分文不直。有时拈来,东烹西煮,百味俱全。虽然如是,若要不倾不危,也须诸人各出一只手始得。"由此可见,此诗"折脚铛""漏笊篱""破砂盆"等既是生活艰苦简朴的实际写照,同时也寓有禅意,皆指从"废器"中体会大用。

[二四九]修行岂得不成佛,水滴年深石也穿。不是顽皮钻不破,[1]惟人只欠自心坚。

【注释】

[1]顽皮:厚而坚的皮囊,特指人的躯壳。《寒山诗》之二四二:"下士钝暗痴,顽皮最难裂。"

[二五○]独坐穷心寂杳冥,个中无法可当情。西风吹尽拥门叶,留得空阶与月明。[1]

【注释】

[1]此诗写静中光景,于孤寂中静观万物,体会那"万物与我为一"的妙境。

[二五一]玉蝶梅花香满树,水池洗菜绿浮科。锦衣公子如知得,定是移家入薜萝。[1]

[1]薜萝:薜荔和女萝。两者皆野生植物,常攀缘于山野林木或屋壁之上,常指隐者或高士的住所。

[二五二]逆顺未尝忘此道,穷通一味信前缘。[1]是他了达虚空性,不动纤毫本自然。

【注释】

[1]穷通:困厄与显达。《庄子·让王》:"古之得道者,穷亦乐,通亦乐,所乐非穷通也;道德于此,则穷通为寒暑风雨之序矣。"

[二五三]寒披荷叶衣裳暖,饥食松华饼饵香。不比世人营口体,奔南走北一生忙。

[二五四]新缝纸被暖烘烘,黄叶堆头火正红。闲梦不知谁唤醒,五更听得下方钟。

[二五五]旋斫青柴逐把挑,担头防脱莫过腰。今朝未保来朝日,且了寒炉一夜烧。

[二五六]今年难测是寒暄,[1]一日阴晴变几番。檐下纸窗干又湿,门前石迳湿还干。

【注释】

[1]寒暄:冷暖。荀悦《申鉴·俗嫌》:"故喜怒哀乐,思虑必得其中,所以养神也;寒暄虚盈,消息必得其中,所以养体也。"

[二五七]峰顶团团尽是松,茅庐著在树阴中。天风一阵来何处,吹起波涛响半空。

[二五八]黄罗直裰紫伽梨,[1]出入侯门得意时。争似道人忘宠辱,松针柳线补荷衣。[2]

【注释】

[1]黄罗:黄色的罗纱。直裰(duō):僧人穿的大领长袍。伽梨:即袈裟。黄庭坚《元丰癸亥经行石潭寺别和一章》:"空余祇夜数行墨,不见伽梨一臂风。"

[2]此诗将那些受朝廷赐封的所谓"紫衣僧"与野居山林、无牵无挂的"山居僧"做了对照,显示了禅师具有真正的出世情怀和淡泊之风。朝廷赐与僧人紫色袈裟或法衣始于唐武则天时,此后历代皆仿效之。这固然显示佛教与世俗政权不相违背的用意, 但这种风气实有违于佛教的根本宗旨。且紫衣属"五间色"之一,并非如法之坏色,故佛制严禁之,身穿紫衣袈裟,出入王侯之门,就世间法而言堪称"得意"之事,却遗失了佛法之"真意",这正是禅师所深深慨叹的。

[二五九]春归暑退一秋凉,日暑如梭夜渐长。尽把工夫闲杂话,几曾回首暂思量。

[二六〇]我见时人日夜忙,广营屋宅置田庄。到头一事将不去,独有骷髅葬北邙。[1]

【注释】

[1]此诗乃醒世警众,打破世人对世间的追逐留恋。如《净土全书》卷一所说:"人生时,父母妻子,屋宅田园,牛羊车马,以至台凳、器皿、衣服,及细微带索等物,不问大小色色,认为己物。仓库既盈,心犹未足,金珠已多,营犹未止。举眼动步,无非爱著。一宿在外,已念其家。一仆未归,已忧其失。种种事务,无非挂怀。一旦大限到来,尽皆抛去,虽我此身,犹是弃物,况身外者乎?静心思之,恍如一梦。古人有言:'一日无常到,方知梦里人。万般将不去,惟有业随身。'妙哉此言也!予故用其后二句,续成一偈云:'万般将不去,惟有业随身。但念阿弥陀,定生极乐国。'盖业者,谓善业恶业,此皆将得去者,岂可不以净土为业乎?"

[二六一]个个闻知有死生,闻知何不早修行?堂堂大道无人到,开眼明明入火坑。[1]

【注释】

[1]此诗亦醒世警众。众人皆知人有生死,却甘愿沉沦生死,不知出离。"堂堂大道"即《金刚经注》引川禅师语所谓"堂堂大道,赫赫分明,人人具足,个个圆成",即人人本具的真如佛性。怎奈世人迷失此真如佛性,作恶造业,以种种妄心造出

地狱火坑,身陷其中受其苦报。

[二六二]尽说修行不在迟,今生还有后生期。三涂一报五千劫,[1]出得头来是几时?[2]

【注释】

[1]三涂:即"三途",指畜生、饿鬼、地狱三种恶道。一旦堕入恶道之中,要经受五千个大劫的果报。

[2]此诗亦醒世警众。针对一些人认为既然来生无穷无尽,不妨今生得过且过,得乐且乐的思想,警醒世人:莫忘因果报应,如影随形,恶道之苦,苦不堪言。正像古语所说"此身不向今生度,更待何生度此身?""一失人身,万劫难复",读此能不猛醒?

中峰山居诗[1]

【注释】

[1]释明本(1263~1323),元代临济宗僧。浙江钱塘人,俗姓孙,号中峰,又号幻住道人。少年出家,于至元二十三年(1286),参谒高峰原妙于天目山师子院,二十四岁,依从原妙剃度,次年受具足戒。原妙示寂后,隐于湖州辨山之幻住庵。尝留止吴江、庐州六安山等地。延祐五年(1318)应众请还居天目山,僧俗瞻礼,誉为江南古佛。至治三年八月示寂,世寿六十一。有《中峰和尚广录》三十卷等传世,其佛学融合诸说而主张禅净习合、教禅一致,世有"佛法中兴本中峰"之赞。

山居十首(六安山中作)[1]

【注释】

[1]中峰明本于皇庆元年(1312 年),结庵于庐州(今安徽合肥)六安山,山居十首作于此时。

[二六三]胸中何爱复何憎,自愧人前百不能。[1]旋拾断云修破衲,高攀危磴阁枯藤。千峰环绕半间屋,万境空闲一个僧。除此现成公案外,[2]且无佛法继传灯。[3]

【注释】

[1]"自愧"句:陆游《夜意三首》:"但有一无愧,无妨百不能。"

[2]公案:禅宗祖师、大德接引学徒的问答与动作,供后人参详,作为判定迷悟准绳,如官府文书成例,故称公案。"此现成公案"即指山居事。

[3]传灯:禅宗传法,喻如灯火相传,破除迷暗。《祖庭事苑》卷八:"如来为他宣说法要,与诸法性常不相违,诸佛弟子依所说法,精勤修学证法实性,由是为它有所宣说,皆与法性能不相违,故佛所言如灯传照。"

[二六四]三尺茅蒼耸翠岑,去城七十里崟嶔[1]。谁同趣入忘宾主,[2]我自往来空古今。雪涧有声泉眼活,雨崖无路藓痕深。为言海上参玄者,[3]庵主痴顽勿访寻。

【注释】

[1]崟(yín)嶔(qīn):山高貌。

[2]宾主:原指主人与客人,如周元用《李白酒楼》:"饮酣意气横今古,玉山倾倒忘宾主。"禅宗用以指主体与客体。《人天眼目》载僧人辨析"宾中宾""宾中主""主中宾""主中主"等集中关系。

[3]参玄:即参禅。于颖《暑中偕文将泛湖谒牧雪师》:"参玄过白社,破浪狷清流。"

[二六五]行脚年来事转多,争如缚屋住岩阿?有禅可悟投尘网,无法堪传逐世波。[1]偷果黄猿摇绿树,衔华白鹿卧青莎。

道人唤作山中境,已堕清虚物外魔。[2]

【注释】

[1]逐世波:随波逐浪,与世人一样。原为佛教所批判排斥,认为这是众生流浪生死轮回的根本。如《归元直指集》卷下:"山居卜筑隐岩阿,免得随流逐世波。"谓山居是为了不逐世波。但明本禅师从禅宗角度指出:如果认为有禅可悟,就是投尘网;其实并无佛法可传,只是随顺世间而已。参看禅门流传的所谓"云门三句":"函盖乾坤""截断众流""随波逐浪"。随缘适性、对机接引也是一种重要的禅修方式和人生智慧。

[2]"已堕"句:《楞严经》论"五十阴魔"谓:"一切草木,积劫精魅,或复龙魅,或寿终仙,再活为魅,或仙期终,计年应死,其形不化,他怪所附,年老成魔,恼乱是人"等等,谓山中的"清虚"之境亦可能着魔。这里警醒山居者切不可留恋于山居清静,更深一层,显示了禅宗一切皆不执着的精神。

[二六六]触处逢山便做家,只缘甘分老烟霞。卢都唇嘴生青酽,藞苴形骸上白华。[1]四壁光吞蓬户月,一瓶香熟地炉茶。苟非意外相知者,徒把空拳竖向他。[2]

【注释】

[1]卢都:嘴唇鼓翘貌。藞(lǎ)苴(jū):邋遢。这两句写山居者无任何修饰的自然面貌。

[2]空拳:空手作拳以诳小儿。《大宝积经》卷九十:"如以空拳诳小儿,示言有物令欢喜,开手拳空无所见,小儿于此复号

啼。如是诸佛难思议,善巧调伏众生类,了知法性无所有,假名
安立示世间。"

[二六七]数朵奇峰列画屏,参差泉石畅幽情。青茅旋㼖尖
头屋,[1]黄叶频煨折脚铛。云合暮山千种态,鸟啼春树百般声。
世间出世闲消息,不用安排总现成。[2]

【注释】

[1]㼖(gòng),小杯。
[2]不用安排:见石屋"一锸足生涯"诗注。

[二六八]一住空山便厮当,[1]两忘喧寂与闲忙。但闻白日销
金鼎,不见青苔烂石床。印破虚空千丈月,洗清天地一林霜。客
来不必频饶舌,[2]此事明明绝覆藏。

【注释】

[1]厮当:厮,相互;当,合宜。"厮当"即互相适合。
[2]饶舌:多嘴多舌;唠叨。《新修科分六学僧传》卷三十《唐
丰干师》:"见寒、拾方共执爨,灶下相顾大嗥。胤亟拜之,则咄
曰:'弥陀不识,礼我何为?'又曰:'封干饶舌,封干饶舌。'遂携
手竟趋出。"

[二六九]闲云终日闭柴扉,海上同参到者稀。白发不因栽
后出,青山何待买方归。[1]拽帘谂老投深阱,[2]剃发曾郎堕险
机。[3]要觅住庵人住处,拟心难免涉离微。[4]

【注释】

[1]前人言"买青山"之诗文甚多,如宋代陈文蔚《清明前二日同周公美黄子京郊行和子京韵》:"坐石有言盟白石,爱山随意买青山。"徐照《赠从善上人》:"不能来住城中寺,去买青山约我邻。"等等,这一句更进一步,谓青山不必买。参看贯休"支公放鹤情相似"[〇二四]诗注。

[2]谂老:唐代赵州从谂禅师。《五灯会元》卷三载:"南泉山下有一庵主,人谓曰:'近日南泉和尚出世,何不去礼见?'主曰:'非但南泉出世,直饶千佛出世,我亦不去。'师闻,乃令赵州去勘。州去便设拜,主不顾。州从西过东,又从东过西,主亦不顾。州曰:'草贼大败。'遂拽下帘子,便归举似师。"

[3]曾郎:唐雪峰义存禅师,俗姓曾氏,有曾郎之称。《五灯会元》卷七载:"初与岩头至澧州鳌山镇阻雪,头每日只是打睡。……师自点胸曰:'我这里未稳在,不敢自谩。'头曰:'我将谓你他日向孤峰顶上盘结草庵,播扬大教,犹作这个语话?'师曰:'我实未稳在。'头曰:'你若实如此,据你见处一一通来。是处与你证明,不是处与你铲却。'……师于言下大悟,便作礼起。连声叫曰:'师兄,今日始是鳌山成道。'"

[4]离微:《宝藏论·离微体净品》谓:"无眼无耳谓之离,有见有闻谓之微;无我无造谓之离,有智有用谓之微;无心无意谓之离,有通有达谓之微。又离者涅槃,微者般若;般若故兴大用,涅槃故寂灭无余;无余故烦恼永尽,大用故圣化无穷。"举上两则公案后,以此语作结。

[二七〇]见山浑不厌居山,就树诛茅缚半间。对竹忽惊禅影瘦,倚松殊觉老心闲。束腰懒用三条篾,扣己谁参一字关。[1]幸有埋尘砖子在,待磨成镜照空颜。[2]

【注释】

[1]一字关:云门宗云门文偃禅师化导学人时,常以简洁之一字说破禅之要旨,称为云门一字关。又称一字关。如《人天眼目》卷二:"'杀父杀母,佛前忏悔;杀佛杀祖,甚处忏悔?'师云:'露!'"

[2]"待磨成镜"句:《景德传灯录》卷五《慧能大师》:"开元中,有沙门道一住传法院,常坐禅,师知是法器,往问曰:'大德坐禅图什么?'一曰:'图作佛。'师乃取一砖于彼庵前石上磨。一曰:'师作什么?'师曰:'磨作镜。'一曰:'磨砖岂得成镜邪?'师曰:'坐禅岂得作佛邪?'"

[二七一]头陀真趣在山林,[1]世上谁人识此心。火宿篆盘烟寂寂,[2]云开窗槛月沉沉。崖悬有轴长生画,瀑响无弦太古琴。[3]不假修治常具足,未知归者谩追寻。

【注释】

[1]头陀:梵语 dhûta 的音译,意译为抖擞,意为通过种种苦行,消除烦恼尘垢。原始佛教有所谓"头陀十二行",山居禅僧在某种意义上是这种头陀行的实践者。

[2]篆盘:即盘香,因制作的盘香呈篆字形,故称。

[3]萧统《陶靖节传》:"渊明不解音律,而蓄无弦琴一张,每

144

酒适,辄抚弄以寄其意。"大自然的音声即是无弦太古琴所奏出的妙音。这种观念在禅诗中常见,如元来禅师《示振宇居士》:"顿悟心源开宝藏,相逢眉动便知音。现前休问无生境,深涧流泉太古琴。"

[二七二]千岩万壑冷相看,不用安心心自安。识马乍教离欲厩,情猿难使去玄坛。[1]竹烟透屋蒲龛密,松内沉空毳衲寒。此意山居人未委,未居山者更无端。

【注释】

[1]"识马"两句:佛教将识喻为奔驰不息的野马,将情喻为跳跃不止的猿猴。玄奘《上唐太宗表》谓:"愿托虑于禅门,澄想于定心,制情猿之逸躁,系意马之奔驰。"并参看石屋"圆颅方服作沙门"[一四六]诗注。

水居十首(东海州作)[1]

【注释】

[1]据《中峰和尚广录》卷十八:"皇庆壬子(1312年)春,结庵六安山。秋,舟往东海州(今江苏连云港市)。"水居十首作于此时。

[二七三]道人孤寂任栖迟,[1]迹寄湖村白水西。四壁烟昏茅宇窄,一天霜重板桥低。惊涛拍岸明生灭,止水涵空示悟迷。万象平沉心自照,波光常与月轮齐。

【注释】

[1]栖迟:游息,漂泊。《诗经·陈风·衡门》:"衡门之下,可以栖迟。"

[二七四]水边活计最天然,物外相忘事事便。门柳每招黄蝶舞,岸莎常衬白鸥眠。雨蒸荷叶香浮屋,风搅芦花雪满船。不动舌根谈实相,[1]客来何必竖空拳。

【注释】

[1]舌根:六根之一,主言语与滋味。此句谓水边天然之景物,大自然和谐的节律,即是不用语言而演说的实相真谛。

[二七五]缚个茅庵际水涯,现成景致一何奢。野塘水合鱼丛密,远浦风高雁阵斜。道在目前安用觅,法非心外不须夸。一声铁笛沧浪里,烟树依依接暮霞。

[二七六]年晚那能与世期,水云深处分相宜。茭蒲绕屋供晨爨[1],菱藕堆盘代午炊。老岸欲隳添野莳,废塘将种补新泥。[2]无心道者何多事,也要消闲十二时。

【注释】

[1]爨(cuàn):烧火做饭。

[2]隳(huī):毁坏。莳:在沼泽上以木作架,上铺泥土,作为种植水生植物的农田,名为莳田。这两句是说,道人在水岸边

辛勤劳作,修补堤岸废塘。

[二七七]沤华深处寄幽栖,闻见天真分外奇。一枕香吹红菡萏,四檐光浸碧琉璃。绕围云水盈千众,烂嚼虚空遣二时。幻住丛林无闲歇,[1]苟非同道欲谁知?

【注释】

[1]丛林:指僧众聚居之大寺院,尤指禅宗寺院,又称禅林。禅宗丛林的真正开创者为马祖道一,使修禅者安住于此,其弟子百丈怀海又折衷大小乘经律,制定清规,开辟了中国佛教丛林制度。

[二七八]云漫漫又水漫漫,新缚茅龛眼界宽。尽有池塘堪着月,且无田地可输官。四时风味人谁得,万顷烟波我自观。却恐客来为境会,闭门收在一毫端。

[二七九]住个茅庵远世尘,东西南北水为邻。风休独露大圆镜,雪霁全彰净法身。波底月明天不夜,炉中烟透室常春。闲将法界图观看,[1]心眼空来有几人?

【注释】

[1]法界图:又称《华严一乘法界图》,唐代时新罗僧人义湘所作,图示华藏唯心净土世界的圆融无碍境界。这里借用法界图来比喻,谓眼前的美景即是一幅天然法界图。

[二八〇]水中图画发天藏,[1]不到无心孰可当。雪谷春深沉玉髓,冰壶夜永泛银浆。洞然圆满融三际,[2]廓尔净明空八荒。缚屋且依如是住,难将消息寄诸方。

【注释】

[1]天藏:天然之府藏,这里指众生的真如本性。

[2]三际:指过去(前际)、中际(现在)、后际(未来)。

[二八一]水国庵居最寂寥,世涂何事苦相招。去村十里无行路,隔岸三家有断桥。数点鸦声迎暮雨,一行鱼影涨春潮。陈年佛法从教烂,[1]岂是头陀懒折腰。

【注释】

[1]从教烂:听凭(它)腐烂。绍昙《偈颂》:"有眼如盲,有舌如结。静倚松根,憨眠不彻。佛法从教烂似泥,不说不说。"

[二八二]极目弥漫水一方,水为国土水为乡。水中缚屋水围绕,水外寻踪水覆藏。水似禅心涵镜像,水如道眼印天光。水居一种真三昧,只许水居人厮当。[1]

【注释】

[1]厮当:参看中峰"一住空山便厮当"诗[二六八]注释。

船居十首（己酉舟中作）[1]

[二八三]世情何事日羁縻,[1]做个船居任所之。岂是畸孤人共弃,都缘疏拙分相宜。漏篷不碍当空挂,短棹何妨近岸移。佛法也知无用处,从教日炙与风吹。

【注释】

[1]羁(jī)縻(mí)：束缚。高适《奉和鹘赋》："嗟日月之云迈,犹羁縻而见婴。"

[二八四]水光沈碧驾船时,疑是登天不用梯。鱼影暗随篷影动,雁声遥与橹声齐。几回待月停梅北,或只和烟系柳西。万里任教湖海阔,放行收住不曾迷。[1]

【注释】

[1]此诗用湖水澄碧、水天一色的外景喻清静无碍、无染无迷的真如本性,是一种独特的心境融合境界。

[二八五]人在船中船在水,水无不在放船行。藕塘狭处抛篙直,荻岸深时打棹横。千里溪山随指顾,一川风月任逢迎。普

通年外乘芦者,[1]未必曾知有此情。

【注释】

[1]"普通"句:指禅宗初祖菩提达摩。南天竺人,习大乘佛法。于梁朝普通年间来到中国,到达梁朝首都金陵。传说他与梁武帝有一段对话。梁武帝是笃信佛教的帝王,即位后建寺、写经、度僧、造像甚多,他很自负地问达摩:"我做了这些事有多少功德?"达摩却说:"无功德。"武帝又问:"何以无功德?"达摩说:"此是有为之事,不是实在的功德。"梁武帝不能理解,达摩即渡江入魏。渡江前,武帝后悔,派人追赶达摩,想将他挽留在南方。达摩从江边折下一根芦苇,乘着这根芦苇到达少室山。

[二八六]大厦何知几百间,争如一条小船闲。随情系缆招明月,取性推篷看远山。四海即家容幻质,五湖为镜照衰颜。相逢顺逆皆方便,谁暇深开佛祖关。[1]

【注释】

[1]佛祖关:禅宗将修学必须通过之关门称为祖师关或佛祖关。如《无门关》第一则所说,此关为顿悟境界,其要在一"无"字;参透此关,始能绝心路、得妙悟,与历代祖师把手共行。这一句是说,"相逢顺逆皆方便",连祖师关也不必去管。

[二八七]家在船中船是家,船中何物是生涯。樯栽兔角非干木,缆系龟毛不用麻。[1]水上浮沤盛万斛,室中虚白载千车。

山云溪月常围绕,活计天成岂自夸。

【注释】

[1]龟毛兔角:龟本无毛,兔亦无角,但龟在水中游,身沾水藻,有人会误以为水藻为龟毛,又如误认直竖的兔耳为兔角。佛教经论常以"龟毛兔角"比喻有名无实,或现实中全然不存在的事物。这两句活用此典,显示一种摆脱了一切物质束缚的自由自在的生活境界。

[二八八]一瓶一钵寓轻舟,溪北溪南自去留。几逐断云藏野壑,或因明月过沧洲。[1]世波汩汩难同辙,人海滔滔孰共流。[2]日暮水天同一色,且将移泊古滩头。

【注释】

[1]"或因"句:《五灯会元》卷十八载圆通守慧禅偈:"但知今日复明日,不觉前秋与后秋。平步坦然归故里,却乘好月过沧洲。咦!不是苦心人不知。"

[2]汩(gǔ):水流的样子。世人受与生俱来的贪欲的影响,追名逐利,轮回生死,如流水一般,千百年来无有间断。这两句表明与世俗决绝的态度。

[二八九]散宅浮家绝所营,闲将行色戏论评。烟蓑带雨和船重,云衲冲寒似纸轻。[1]帆饱故知风有力,柁宽方觉水无情。头陀不惯操舟术,几失娘生两眼睛。

【注释】

[1]冲寒:冒着寒冷。杜甫《小至》:"岸容待腊将舒柳,山意冲寒欲放梅。"

[二九〇]为问船居有底凭,浑无世用一慵僧。抛纶掷钓非吾事,舞棹呈桡岂我能。转舵触翻千丈雪,放篙撑破一壶冰。从教缆在枯椿上,恣与虚空打葛藤。[1]

【注释】

[1]这一首写自己船居的用意:并非想做一个以捕鱼为业的渔民,"恣与虚空打葛藤"是根本目的,即打破那个无所不在的虚空。葛藤指文字、语言有如葛藤的蔓延交错,本是用来解释、说明事相,反遭其缠绕束缚。"打"则指接触、参悟的过程。《碧岩录》第一则谓:"五祖先师尝说:'只这廓然无圣,若人透得,归家稳坐,一等是打葛藤,不妨与他打破漆桶。'"可以参考。

[二九一]懒将前后论三三,[1]端的船居胜住庵。为不定方真丈室,事无住相活伽蓝。[2]烟村水国开晨供,月浦华汀放晚参。有客扣舷来问道,头陀不用口喃喃。

【注释】

[1]论三三:禅宗有所谓"前三三后三三"的话头。其源来自唐代无著禅师与文殊菩萨问答之语。据载无著禅师往五台山礼文殊,途中遇到一老翁,无著问:"此间佛法如何住持?"翁

曰："龙蛇混杂,凡圣同居。"无著又问:"有几何？"翁曰:"前三三后三三。"(见《神僧传》卷八)这个老翁即被认为是文殊菩萨的化身。此语到底为何意,宗门多有讨论,成为一大公案。

[2]丈室:相传维摩居士所住的石室,长宽只有一丈,后以丈室指僧人住处,以方丈指寺院住持和尚。伽蓝:梵语的音译,其意为僧院。后世佛教伽蓝一般须具备七种建筑物(塔、佛殿、讲堂、钟楼、藏经楼、僧房、斋堂),故称七堂伽蓝。此首承上首,言船居的好处:船随浪四处漂泊,居无定所,正体现出禅宗"不定"和"不住"的宗旨,在禅师看来,这才是真正的丈室和伽蓝。

[二九二]船无心似我无心,我与船交绝古今。沤未发时先掌舵,岸亲到处不司针。[1]主张风月蓬三叶,[2]弹压江湖橹一寻。[3]哀哀禅河游殆遍,话头从此落丛林。

【注释】

[1]沤:水上泡沫。佛教常以浮沤喻妄念,须以佛法之舵来掌控;佛教又常以到彼岸喻修道目标。坐在船中修道,正可体会其中意味,故为妙法,不必再依靠别的指南针作为指引,故曰"不司针"。而此妙法又寓含在首句"船无心似我无心"一句中,"无心"二字即是修道的真正指南,船人合一,断绝古今。全诗意境超迈,一气呵成,堪称绝唱。

[2]主张:意为"支撑"。此句谓:船上的三叶小蓬支撑起船中的无限风月。

[3]寻:长度单位,一般为八尺。"江湖"在此句中喻世间种种险恶。此句谓:八尺长的船橹弹压住江湖的险恶。

憨山山居诗[1]

【注释】

[1]释德清(1546~1623),世称憨山大师。俗姓蔡,安徽全椒人,明末四大师之一。嘉靖四十三年(1564),他谒云谷禅师于摄山栖霞寺,获读《中峰广录》,大为感动,决意学禅。万历十一年,他赴东海牢山那罗延窟结庐安居,开始以憨山为别号。万历二十八年秋,南韶长官祝公请他入曹溪,时南华寺衰落已久,他承担起中兴南华的重任,选僧受戒,设立僧学,订立清规,一年之间,百废俱兴,被世人视为"六祖再来"。天启三年(1623)十二月十月十一日圆寂于南华寺,寿七十八岁。崇祯十三年(1640),弟子等将其遗骸漆布升座,安放塔院,即今曹溪南华寺内供奉的憨山肉身像。憨山德清学通内外,诗文为当时所重。憨山德清曾多次山居修禅,留有《山居诗》多篇,传诵一时。

山居十首[1]

【注释】

[1]憨山德清这组《山居诗》原载《憨山老人梦游集》卷四十八《梦游诗集下》。

[二九三]天地存吾道,山林老更亲。闲时开碧眼,一望尽黄

尘。喜得无生意,[1]消磨有漏身。[2]几多随幻影,都是去来人。

【注释】

[1]无生意:佛教谓诸法之实相无生无灭,能证悟此理即得到"无生意"。王维《登辨觉寺》:"空居法云外,观世得无生。"

[2]有漏身:漏为流失、漏泄之意,为烦恼之异名。佛教谓众生由于烦恼所产生的过失、苦果,使人在迷妄的世界中流转不停,难以脱离生死苦海,故称为有漏;若达到断灭烦恼之境界,则称为无漏。

[二九四]发不如心白,形还似木枯。众缘闲处尽,一念看来孤。[1]天已容疏拙,禅应离有无。余生当落日,步步是归途。

【注释】

[1]"众缘"两句:参看憨山德清《梦游集》卷二《促小师大义归家山侍养》"余所经涉,无论污辱,即祁寒溽暑,奔走于风尘道路,冒生死之际者,不可指陈,而此心一念孤光,未尝少易"一节;《寄普陀昱光禅人》:"白花山下久踟跦,水月光中一念孤。正使十方俱坐断,海枯石烂恰如无。"

[二九五]生理元无住,[1]流光不可攀。谁将新日月,换却旧容颜。独坐唯听鸟,开门但见山。幻缘消歇尽,何必更求闲。

【注释】

[1]生理:生命运行之规律。无住:佛教指生命无固定之实

体,又指心不执着于一定的对象,不失其自由无碍之作用,无所住着,随缘而起。

[二九六]混世多生厌,归山念自休。几曾千载计,特为一人留。浩浩成空劫,[1]涓涓积巨流。但观清静理,身世总如浮。[2]

【注释】

[1]空劫:佛教谓世界自成立至破坏之间,分为成劫、住劫、坏劫、空劫等四个阶段,称为四劫。空劫即第四阶段,此时期之世界已坏灭,唯存色界第四禅天,其他则全然虚空。又世界形成以前而万物未生之时期,亦称为空劫,此后又为成劫,如此循环不断,即世界之轮回。

[2]"但观"两句:从佛教的"清静理"——涅槃的真谛看,不管世界生住坏空、生命生老病死,其实皆是虚幻。

[二九七]身已难凭藉,支离各有因。[1]暂时连四大,终是聚微尘。[2]万籁含虚寂,诸缘露本真。从来声色里,迷误许多人。[3]

【注释】

[1]支离:分散。此处指人身的四大分散,各有原因。

[2]四大:地、水、火、风为四大。佛教经典认为四者分别包含坚、湿、暖、动四种性能,人身即由此构成。如《圆觉经》谓:"我今此身,四大和合。所谓发毛爪齿,皮肉筋骨,髓脑垢色,皆归于地;唾涕脓血皆归于水;暖气归火;动转归风。四大各离,今者妄身当在何处?"四大和合则人身成,四大分散则人身灭,

故人的色身——物质之身最终归为微尘,不可执着。

[3]"从来"两句:在四大假合的身体内,有一种虚寂本真、无形无相的精神,它是我们真正的生命本体。但是世间人总是追逐声色即外在的物质性的东西,而迷失这个本真,这是造成生死轮回幻象的根本原因。

[二九八]斗大一庵居,其中任卷舒。云霞生户牖,星月挂庭除。[1]念息心愈寂,尘消境自如。南熏时入座,[2]飒飒六窗虚。[3]

【注释】

[1]除:台阶。

[2]南熏:即《南风》歌。相传为虞舜所作,歌中有"南风之薰兮,可以解吾民之愠兮"等句,后用于指代古雅的音乐。王维《大同殿赐宴乐敢书即事》:"陌上尧樽倾北斗,楼前舜乐动南薰。"

[3]六窗:指眼、耳、鼻、舌、身、意六根,根为能生之意,眼为视根,耳为听根,鼻为嗅根,舌为味根,身为触根,意为念虑之根。这一句是说,古雅的音乐令人的六根皆进入清虚之境。

[二九九]饱食无余事,高眠昼不分。晦明殊未觉,钟鼓几曾闻。四面帏青嶂,和身卧白云。谁言茶力健,能遣睡魔军。[1]

【注释】

[1]睡魔:使人昏睡的魔力,比喻强烈的睡意。陆游《幽居》:"衰极睡魔殊有力,愁多酒圣欲无功。"这一句是说,茶也最终

无力遣除睡魔。

[三〇〇]无意人间世,游神极乐天。唯余可漏子,[1]耻放拍盲禅。[2]独羡抟风翼,堪多出水莲。回观尘土客,谁不为缠眠。[3]

【注释】

[1]可漏子:指人之肉体。《洞山禅师语录》:"师问僧:'离壳漏子,向甚么处与吾相见?'"

[2]拍盲禅:指不明大道,以盲引盲的禅法,参看宋代克勤禅师《破妄传达磨胎息论》谓"嗟见一流拍盲野孤种族,自不曾梦见祖师,却妄传达磨以胎息传人,谓之传法救迷情"云云。

[3]缠眠:缠谓缠缚、缠盖,指束缚令其烦恼迷惑的各种因素。《大智度论》卷七概括有十种缠:瞋缠、覆罪缠、睡缠、眠缠、戏缠、掉缠、无惭缠、无愧缠、悭缠、嫉缠。

[三〇一]此性元无着,何为不自由。只因生管带,[1]故被世迁流。不识空花影,堪怜大海沤。[2]但开清静眼,明见一毛头。[3]

【注释】

[1]管带:禅宗术语,指计较、营求,与随缘相对。禅宗认为,一切处不须管带,自然现前。

[2]空华、海沤:参看贯休"岚嫩风轻似碧纱"[〇一四]诗注。

[3]毛头:即"毛道",凡夫的异称。这一句是说,只要从睡梦中醒来,睁开清静之眼,便可看到众生流转生死轮回的真相。

158

[三〇二]挥麈元吾事，[1]闲心奈懒何？聊将精进力，调伏睡眠魔。寂寂吹天籁，悠悠逝水波。从来无一字，应不怪维摩。[2]

【注释】

[1]挥麈：麈(zhǔ)，鹿一类动物，其尾可做拂尘。古人清谈时，常挥动麈尾以为谈助，后因称谈论为挥麈。这句是说，作为出家僧人，宣讲佛法本来是我的职责。

[2]"从来"两句：《维摩诘经·入不二法门品》载有三十三种不二法门。诸菩萨对生灭、善恶等相对概念，各提出超越此类问题的绝对答案，而以之为不二法门；文殊师利则认为无言无说，无示无识者为不二法门；对此，维摩诘唯以沉默不语显示入不二法门，得到文殊菩萨的赞赏，认为是真正的入不二法门。本诗用此典意在说明，有时不说法反是一种更为深刻的说法。

山居十首[1]

【注释】

[1]这十首山居诗原见《憨山老人梦游集》卷四十八《梦游诗集下》。

[三〇三]平生踪迹任东西，投老那能择木栖。[1]纵使脊梁刚似铁，奈何胫骨软如泥。[2]闲从绝壑看云起，坐倚千峰听鸟啼。不必更拈言外句，现前声色是全提。[3]

【注释】

[1]鸟兽选择树木栖息,喻择主而事。《左传·哀公十一年》:"(孔子)命驾而行,曰:'鸟则择木,木岂能择鸟?'"

[2]这两句用形象的诗句说明,尽管仍有济世报国之志,但年老体弱,已无力于此,只能归老山林。

[3]提:禅宗独特的用语,全称为"提持",为禅僧引导学人的方法,要点在于破除学人原有见解,而示予向上的契机。相关的还有"提唱""提纲"等用语。全提:毫无保留地提示出来。正如苏轼《赠东林总长老》诗所谓:"溪声便是广长舌,山色岂非清净身。夜来八万四千偈,他日如何举似人?"大自然的一切都昭示着真正的佛法,不必向文字中去求。

[三〇四]依岩结构草为庵,乍可容身止一龛。[1]但得心源归湛寂,任从世事付痴憨。三竿日上还高卧,丈室云封不放参。佛祖直教踪迹断,何须前后列三三。[2]

【注释】

[1]龛:本意为供奉佛像、神位等的小阁子,这里指窄小的屋子。

[2]前后列三三:参看中峰"懒将前后论三三"[二九一]诗注。

[三〇五]回看五浊气氤氲,[1]群闹啾啾器里蚊。[2]瞥念未兴迷悟绝,一微才立圣凡分。青山自许容藏拙,火宅谁能为救焚?[3]翘首长空双碧眼,不堪大地总浮云。

【注释】

[1]佛教谓尘世中烦恼痛苦炽盛,充满五种浑浊不净,即劫浊、见浊、烦恼浊、众生浊和命浊,称为"五浊恶世"。

[2]器里蚊:谓众生如器皿中的蚊子那样,扰扰闹闹,茫无目的地生活着。语源为《楞严经》卷五:"如是乃至三千大千世界内所有众生,如一器中贮百蚊蚋,啾啾乱鸣,于分寸中,鼓发狂闹。"钱锺书先生《管锥编》第388页(中华书局本):"扬雄《法言·渊骞》篇:'或问货殖。'曰:'蚊!'此传(指《史记·货殖列传》)所写熙攘往来、趋死如鹜、嗜利殉财诸情状,扬雄以只字该之,以么么象之,兼要言不烦与罕譬而喻之妙。"

[3]火宅:《妙法莲华经·譬喻品》:"三界无安,犹如火宅……众苦所烧,我皆拔济。"后以"火宅"喻充满烦恼痛苦的世间。

[三〇六]堪嗟往事梦中游,翳眼空花不可求。[1]心路信如云散月,形骸任似水浮沤。生存一息余三寸,老人千峰胜十筹。[2]从此人间踪迹断,更无忧喜上眉头。

【注释】

[1]翳眼空花:参看贯休"岚嫩风轻似碧纱"[〇一四]诗注。

[2]筹:算筹。木或象牙等制成的小棍儿或小片儿,用来计数或作为领取的物品的凭证。"十筹"指多方筹算。

[三〇七]藏修今已遂初心,自昔居山不厌深。空外任从千

嶂列,目中岂受一尘侵。松风时说无生法,[1]流水长鸣太古琴。
入室何劳重竖拂,[2]当机荐取在知音。[3]

【注释】

[1]无生法:参看憨山"天地存吾道"[二九三]诗注。

[2]竖拂:竖起拂尘,高僧参禅说法时一种典型情状。《景德
传灯录·齐安禅师》:"有讲来参,师问云:'坐主,蕴何事业?'对
云:'讲《华严经》。'师云:'有几种法界?'对云:'广说则重重无
尽,略说有四种法界。'师竖起拂子,云:'遮个是第几种法界?'
坐主沉吟,徐思其对。"本句谓大事已毕,不必再参学。

[3]荐取:禅宗专用名词,有时亦称"荐得",含"领会""晓
悟"等意。

[三〇八]幽岩兰蕙有余芳,习习松风送暗香。暂借闻熏开
性地,[1]胜倾甘露灌枯肠。心心直入莲华藏,念念常明般若光。
知足便登兜率界,何劳此外觅西方。[2]

【注释】

[1]闻熏:佛教修学的一个重要步骤。中国大乘佛教认为,
觉悟可分为"本觉"和"始觉","本觉"表如来的法身,"始觉"是
由"本觉"之内熏与师教等外缘,生起厌离苦患,求趋菩提之
心,顺应"本觉"而渐生觉悟的智慧。这个过程又分为"闻、思、
修"三个方面,即听闻熏习,如理思维,修持实践。

[2]"知足"两句:用禅的观念解释净土,认为净土的根源是
净心,只要内心清净,当下便是西方极乐世界。

[三〇九]春深寒谷笋生芽，又见松梢渐发花。一钵待来充午供，众僧专等试新茶。空无神力诸天饭，[1]富有庄严五色霞。为问长安歌舞客，几曾飞梦到山家。

【注释】

[1]诸天饭：很多佛经指出，天界众生的饮食较之人间美妙许多。如《法苑珠林》卷三引《起世经》所说"色界诸天从初禅乃至遍净以喜为食，无色界已上诸天以意业为食。欲界诸天随其贵贱好恶不同，其福厚者，随其所思无不具足，饮则甘露盈杯，食则百味俱至"等等。从根本上说，食也是"空无"这一神力造出的种种虚幻境界。

[三一〇]三冬拥衲坐枯禅，喜见春光最可怜。瓦鼎野蔬将献供，地炉松火渐无烟。青山覆雪重开面，白发防寒已及肩。幸作太平云卧客，焚香朝暮祝尧年。[1]

【注释】

[1]尧年：古史传说尧时天下太平，故以"尧年"比喻盛世。宋代以后禅师上堂说法，常常先焚香祝愿天下太平，百姓安乐等，皆是"祝尧年"。

[三一一]旧游恍忽是前生，每忆行藏暗着惊。此日青山当日梦，今时白社旧时盟。酬机但用无星秤，[1]娱老唯留折脚铛。若问西来端的意，曹溪一派水盈盈。[2]

【注释】

[1]无星秤：没有秤星的秤。比喻随缘不执着。《五灯会元》卷十二《秀州本觉若珠禅师》："无星秤子，如何辨得斤两？若也辨得，须弥只重半铢。"《从容录》第六十三则："无星秤上两头平，没底舡中一处渡。"

[2]曹溪：在广东曲江东南双峰山下，禅宗六祖惠能传法之地，后世亦将惠能所开创的南宗禅法称为"曹溪禅"。憨山德清以继承惠能的弘法事业为己任，在曹溪中兴禅宗法门，被当时和后世禅门视为"六祖再来"。

[三一二]何事当年爱离家，难忘旧着破袈裟。只因未了多生欠，不是从前一念差。[1]半世业缘同梦幻，百年妄想等空花。归来剩有青山在，岂忍将金去博沙。

【注释】

[1]只因两句：佛教将今世人生的种种境遇视为前世种种债缘关系的体现。这几句是说，自己之所以出家为僧，也是前世的因缘所致。

忆山居六首

余圖中宛居深山，因而有述。[1]

164

[1]圜中：圜原意为圆圈，引申为牢狱。圜中即狱中。万历二十三年(1595)，憨山德清因海印寺庙址问题，以所谓"私创寺院"罪被官府拘捕，发配雷州，这六首诗即作于此时。此"小引"点明：自己虽身系牢狱，却如同居于深山中一样，故称之为"忆山居"。

[三一三]流水不是声，明月元非色。声色不相关，此境谁会得？

[三一四]风从何处来，众响动岩穴。静听本无声，如何有起灭？[1]

【注释】

[1] 以上两首诗境可以参看观世音菩萨听大海潮声修习"耳根圆通"。如《楞严经》卷六所述，观世音菩萨"初于闻中，入流亡所，乃至生灭既灭，寂灭现前，证入圆通，入三摩地"。这种修习不必阅读佛经，而是直接观察身边种种声、色的起灭来体悟万法皆空的道理，因而即使拘于牢狱中，也同样能够修习佛法。有关观世音菩萨的"耳根圆通"法门，参看黄念祖居士的解释：耳根圆通不是去听声音，他反闻自性，他就"入流"，入法性之流，忘了"所"。此"所"是所闻。众生一切都有"所"，"所"就指你所闻、所见、所知、所证、所恨、所爱，都是"所"。"入流"，不听声音就忘了声音这个"所"，一步一步的深入还有个"所觉"，有个"所觉"，就有"能觉"，还得除去。于是，空之，就有一个"所

空"和"能空"，又是"能""所"，对立了。还得消灭，空也得灭。灭，生灭都灭完了，寂灭就现前了，就忽然出生二种殊胜，上与十方诸佛同一慈力，下与六道众生同一悲仰。(《华严念佛三昧论讲记》)

[三一五]榾柮千年火，[1]支撑独木桥。往来人境绝，庵主澹无聊。

【注释】
[1]榾(gǔ)柮(duò)：木柴块，树根疙瘩。

[三一六]白雪在檐前，飞来日如故。不是尔无心，如何常共住？

[三一七]明月挂寒空，光彻寒潭底。上下本自同，看来无彼此。

[三一八]身在千岩里，门前路不通。[1]寂寥谁是伴，唯有数株松。

【注释】
[1]以上数诗所写，既是山居所见之实境，亦皆隐含禅机。"门前路不通"即寓含消除一切依存对待，言语道断。参看《续古尊宿语要》第四集载曹源生禅师语："禅道如风过树，有时孤危壁立，线路不通，有时合水和泥，纵横十字。"

山居十三首[1]

【注释】

[1]这十三首山居诗原载《憨山老人梦游集》卷四十九。

[三一九]片云浮太虚,倏忽遍大地。试看未生前,清净无纤翳。[1]

【注释】

[1]纤翳:微小的障蔽。多指浮云。《世说新语·言语》:"司马太傅斋中夜坐,于时天月明净,都无纤翳。"

[三二〇]万境本寂然,因心有起灭。一念若不生,动静何处觅?[1]

【注释】

[1]这首诗之诗意,参看《六祖坛经·行由品》所记:"时有风吹幡动,一僧曰风动,一僧曰幡动。议论不已,惠能进曰:'不是风动,不是幡动,仁者心动。'一众骇然。"谓风动或幡动,皆是将心、境视为主客对立的两个东西,而惠能的观点是心境一如,故当心没有生灭时,万境当下寂然不动,即是涅槃境界。

[三二一]长夜无灯烛,修途总暗冥。可怜酣睡者,大梦几时醒?[1]

【注释】

[1]将生命的轮回流转过程视为"大梦"，这是中国大乘佛教一个重要比喻。参看圆瑛法师《金刚般若波罗蜜经讲义》的一番阐述："如梦者，梦中境界，梦时非无，及至于醒，了不可得。永嘉云：'梦里明明有六趣，觉后空空无大千。'又不待醒后方无，正当梦时，何尝实有？因众生梦想颠倒，妄执为实，梦可爱境，心生爱恋；梦可畏境，心生畏惧。即心随妄境转也。问：梦境非实，人所皆知，现前身心世界，日间所见之境，何得谓为梦境耶？答：子但知一夕之梦为梦，而不知一生之梦，为大梦。诸葛武侯曰：'大梦谁先觉？'即指一生之梦也。更不知历劫之梦，为迷梦，自有无明不觉以来，即在梦中。生相无明未破，其梦尚未大觉，佛直破生住异灭四种梦心，方称大觉。子不知人生是梦，即在梦中未觉，故不信一切皆为梦境。"

[三二二]青山容易入，白业不难修。[1]独有降心法，[2]英雄让一筹。

【注释】

[1]白业：即善业，其相对的恶业称为"黑业"。佛教所谓"白业"通常指五戒、十善等世间善事。

[2]降心法：佛教认为，修善业并不难，因为修善业仍然属于世间法，只能求得来生福业果报，但不能超脱生死轮回。只有"降心法"才是超脱生死轮回的法门。所谓"降心"即《金刚经》所谓"降伏其心"，即令妄想不起，破迷开悟。觉悟的境界，

是无恶亦无善的一真法界,而非善恶相对的世间法,故任何世间法都无法与此启人觉悟的出世间法门相比,故曰"英雄让一筹"。

[三二三]一枕黄粱梦,[1]千秋汗血功。只知常不朽,谁信转头空?[2]

【注释】

[1]沈既济《枕中记》载:卢生在邯郸客店遇道士吕翁,生自叹穷困,吕翁将一枕授之曰:枕此当令子荣适如意。时主人正蒸黄粱,生梦入枕中,享尽富贵荣华。及醒,黄粱尚未熟,怪曰:"岂其梦寐耶?"翁笑曰:"人世之事亦犹是矣。"佛教因以"黄粱梦"喻世事虚幻。《百痴禅师语录·题卢生黄粱梦记》谓:"邯郸一枕,历尽荣华五十载,觉来黄粱炊尚未熟,吕翁岂徒以此窒卢生大欲耶?盖为愚如卢生者甚多,特借卢生唤醒之耳,奈何人不自知,反笑卢生。"

[2]转头空:转眼之间即空。苏轼《次韵王忠玉游虎丘绝句》:"舞衣歌扇转头空,只有青山杳霭中。"苏轼《西江月》:"休言万事转头空,未转头时是梦。"杨慎《临江仙》:"是非成败转头空。"

[三二四]雪老苍松古,僧闲水石清。坐来忘百虑,眼见一身轻。

[三二五]酷暑不可人,清风来竹下。飕飕凉气生,毛骨顿潇洒。

[三二六]风静蝉声急,龙归雨气腥。乘凉高树下,闲写换鹅经。[1]

【注释】

[1]换鹅经:《晋书·王羲之传》载:"山阴有一道士,养好鹅,羲之往观焉,意甚悦,固求市之。道士云:'为写《道德经》,当举群相赠耳。'羲之欣然写毕,笼鹅而归。"或谓王羲之所书为《黄庭经》。本诗应指佛道经典。

[三二七]云深便野寺,僧老爱扶筇。[1]乞食归来晚,愁穿十里松。

【注释】

[1]筇(qióng),一种竹子,这里指竹杖。陈与义《再赋》:"危楼只隔一重篱,谁见扶筇独上时。"

[三二八]爽气入疏林,万山秋色好。贪看溪头云,忘却来时道。

[三二九]独坐长松下,悠然太古心。高山流水意,谁复是知音?

[三三〇]日月如飞鸟,乾坤似转丸。[1]浮生忙里度,谁向静中看?

【注释】

[1]转丸:转动的圆球。于慎行《西门行》:"四时相递代,日月如转丸。"

[三三一]长明一碗灯,夜对心更寂。多少醉眠人,梦中狂未息。[1]

【注释】

[1]《楞严经》卷四:"狂性自歇,歇即菩提。"

山居二十首(六言)[1]

【注释】

[1]此二十首六言山居诗见《憨山老人梦游集》卷四十九。

[三三二]松下数椽茅屋,眼前四面青山。日月升沉不住,白云来去常闲。

[三三三]雪里梅花初放,暗香深夜飞来。[1]正对寒镫独坐,忽将鼻孔冲开。

【注释】

[1]暗香句:暗用林逋《山园小梅二首》的名句"疏影横斜水清浅,暗香浮动月黄昏"。此句亦为宋以后禅门说法所用,如南

宋禅僧西岩了慧上堂："庆上人尝读《西湖八篇》，偶于'暗香浮动月黄昏'处，心目开明，如在空蒙潋滟间，得见孤山山人，凛然风采，由是移梅瓮牖，澡月盆池，肉其诗骨，以雅山房之趣，扁曰浮月，意有自来。浮谓暗香，非谓月也。湖海英衲，赓歌咏之，虽咏月而不咏暗香，然香在句中矣，有鼻孔者嗅取。"（《西岩和尚语录》卷下）

[三三四]几片白云不去，一轮明月飞来。[1]伴我山中寂寞，笑他世上尘埃。

【注释】

[1]张孝祥《念奴娇》："明月飞来云雾尽。"许有壬《再用鲜于伯机郭安道韵题房山画二首》："白云不去为霖雨。"

[三三五]一片寒心雪夜，数声破梦霜钟。炉内香销宿火，窗前月上孤峰。

[三三六]满面清霜冽冽，盈头白发萧萧。[1]世上空花影落，目中幻翳全消。

【注释】

[1]盈头：满头。方回《次韵张慵庵立秋有怀》："不应如我雪盈头。"

[三三七]淅淅泉声入耳，明明祖意西来。不动舌根常说，何

须再叹奇哉。[1]

【注释】

[1]苏轼《赠东林总长老》:"溪声便是广长舌,山色岂非清净身。夜来八万四千偈,他日如何举似人?"《大方广佛华严经》卷五十一《如来出现品》:"尔时,如来以无障碍清净智眼,普观法界一切众生而作是言:'奇哉!奇哉!此诸众生云何具有如来智慧,愚痴迷惑,不知不见?我当教以圣道,令其永离妄想执著,自于身中得见如来广大智慧与佛无异。'"全诗谓:那清晰的泉水声明明的昭示着祖师的西来意,不需要用语言却从没有中断过演说佛法,世间的一切皆是佛法,哪里需要如来出世呢?

[三三八]幽谷兰香馥馥,中宵月色娟娟。一段清尘勃勃,无端打破枯禅。

[三三九]一念忘缘寂寂,孤明独照惺惺。[1]看破空中闪电,非同目下飞萤。

【注释】
[1]惺惺:清醒的样子。

[三四〇]云散长空雨过,雪消寒谷春生。但觉身如水洗,不知心似冰清。

[三四一]衰朽应怜骨弱,看来转觉心强。午夜脊梁似铁,[1]
常时一念如霜。[2]

【注释】

[1]"午夜"句:参看憨山"平生踪迹任东西"[三〇三]诗:"纵
使脊梁刚似铁。"禅门常以"脊梁"喻情操与意志,如《圆悟佛果
禅师语录》卷三:"铁作脊梁骨,金铸坚实心。"《景德传灯录》卷
十五:"德山老人一条脊梁骨硬似铁拗不折。"

[2]霜喻似有若无、无罣无碍的境界。

[三四二]空谷诸尘尽谢,止留一片闲云。伴我松根挥尘,堪
多麇鹿成群。

[三四三]文字眼中幻翳,禅那心上浮尘。[1]内外一齐拈却,
大千世界全身。

【注释】

[1]禅那:梵语 dhyâna 的音译,意译为思惟修,又译为静
虑,简称即禅,指将心专注于某一对象,进入寂静以详密思惟
的定慧均等之状态。本诗是说,文字为外在的障碍,禅定则为
内在的障碍,只要将这内外两种障碍消除,则大千世界的全体
顿然显现。

[三四四]静夜钟声不住,石床梦想俱空。开眼不知何处,但
听满耳松风。

[三四五]清净涵空宝镜,春来水满彭湖。[1]照彻庐山面目,[2]月如额上明珠。

【注释】

[1]彭湖:鄱阳湖,古称彭蠡,在江西省北部。

[2]"照彻"句:苏轼《题西林壁》:"不识庐山真面目,只缘身在此山中。"禅宗常以"庐山面目"指代每个人的"本来面目",如《天乐鸣空集》"藏公喻法"则谓:"道人做事,当似蜘蛛,打了一片大网,身却在外,进退自由;若像了蚕,便连身做在里边。……此喻不但世事,即参禅学道亦尔。一切无智,穷年钻在禅道佛法里边,自缠自裹,永不能透。东坡曰:不识庐山真面目,只缘身在此山中。"因为我们无法跳出个人的圈子,故无法认得此"真面目"。

[三四六]莲漏六时犹短,[1]长香百刻安排。日夜真常流注,[2]识神早托华胎。[3]

【注释】

[1]莲漏:即莲花漏。古代的一种计时器。李肇《唐国史补》卷中载:"初,惠远以山中不知更漏,乃取铜叶制器,状如莲花,置盆水之上,底孔漏水,半之则沉。每昼夜十二沉,为行道之节,虽冬夏短长,云阴月黑,亦无差也。"

[2]流注:谓有为法之刹那不停地前灭后生,相续不断,如水之流注,亦比喻烦恼妄想的无有间断。这一句是说,我们这

个世界的时间是相许不断的,故有生老病死的轮回现象。

[3]识神:通称为"神识",有情众生的心识本不生不灭,灵妙不可思议,故称神识,俗称灵魂,即人的生命本体。华胎:佛教谓西方极乐世界的众生从莲花中化生,非血肉之躯,无有老病死等种种世间烦恼,一个人往生西方极乐世界,即指其神识托胎于莲花之中。

[三四七]一片云封谷口,千峰划破虚空。中有数椽茅屋,深藏白发山翁。

[三四八]可惜青山常在,堪嗟白发时新。尽是尘中逆旅,[1]谁为物外闲人?

【注释】

[1]逆旅:客舍、旅馆。物外:尘世之外。佛教借用汉语中固有的"逆旅"一词,谓三界如逆旅,如湛然《大般涅槃经疏》卷四谓:"观五阴如逆旅,暮合朝散。"每个人都是暂居于此世界的过客而已,自己的本有家乡何在?参看《曹溪一滴》:"人有生必有死,生如寄客,死如转车。父母妻儿,如逆旅中人,舍此就彼,就彼舍此,凡千百年中,不知几多舍而几多取,而不觉之;昼必作,夜必寐,寐而复作,自古及今,而不觉之;春之生物也,必夏长,夏长后秋收,秋收又冬藏,又复春生,自古及今,而不觉之;世界之初成也,而后住,住而后坏,坏而后空,空又复成,自古及今,而不觉之。"

[三四九]山色愁含宿雨,松声冷咽清霜。乞食僧同倦鸟,娥眉月上新妆。

[三五〇]世界光如水月,身心皎若琉璃。但见冰消涧底,不知春上花枝。[1]

【注释】

[1]林清玄《凋零之美》一文引用过憨山德清此诗并作出一番解说,不妨视为深有意味的别解:"这凋零与新生,原是同一个世界,涧底的冰雪融化了,与春景里枝头的花开,原是同样的美。或者,溪涧中的雪是滋润过花的雨水与露珠;也或者,那灿烂的花颜是吸了冰雪的乳汁而辉煌的吧!一切因缘的雪融冰消或抽芽开花都是自然的,我们尽一切的努力也无法阻止一朵花的凋谢,因此,开花时看花开,凋谢时就欣赏花的飘零吧!我们尽一切努力,也不能使落下来的任何一片叶子回到枝头,因此要存着敬重与深情的心,对待大地这种无言的呈现呀!"

[三五一]门外青山朵朵,窗前黄叶萧萧。独坐了无言说,回看妄想全消。

山居偶成四首[1]

【注释】

[1]此四首诗见《憨山老人梦游集》卷四十九。

[三五二]百年世事空华里,一片身心水月间。独许万山深密处,昼长趺坐掩松关。

[三五三]滚滚红尘世路长,[1]不知何事走他乡。回头日望家山远,[2]满目空云带夕阳。

【注释】

[1]参看憨山德清《醒世歌》:"红尘白浪两茫茫,忍辱柔和是妙方。"

[2]家山:故乡。这里以"他乡"喻因迷惑自性而堕入世间,流浪生死。以"故乡"喻回归自性,证得不生不灭的涅槃境界。

[三五四]闹蓝谁肯急抽身,[1]自古青山隔市尘。莫谓桃源无路入,落花流水是知津。

【注释】

[1]闹蓝:蓝为"伽蓝"的简称,即寺院。"闹蓝"即烦闹的寺院。佛教的寺院本为修行人远离尘俗的清静修行之地,但在世俗化的社会,寺院也可能成为如朝市一般热闹的场所,显示和流动着世俗的种种欲望和祈求。故真正的修行者连这种"闹蓝"也要远离,回归山林。这正是这些高僧之所以要山居的原因所在。

[三五五]日夜烟霞护翠微,相将猿鹤待忘机。[1]青山莫道闲

无主,自是闲人不肯归。

【注释】

[1]忘机:《列子·黄帝》:海上之人好鸥者,每旦之海上,从鸥鸟游,鸥之至者百数之止。其父曰:"吾闻鸥鸟皆从汝游,汝取来,吾玩之。"明日之海上,鸥鸟舞而不下。注:"既有妄心,即惊其神。心之与神,表里之符也。我惊其神,则物亦惊我矣。海上之人从鸥鸟游,以其心无逆顺也。既怀取之之心,则惊其神矣,此鸥鸟所以舞而不下也。"柳宗元《巽公院五咏》:"发地结菁茅,团团抱虚白。山花落幽户,中有忘机客。涉有本非取,照空不待析。万籁俱缘生,窅然喧中寂。心境本洞如,鸟飞无遗迹。"又,猿鹤在古代常代指隐逸之士,《宋史·石扬休传》:"扬休喜闲放,平居养猿鹤,玩图书,吟咏自适。"

山居二十八首[1]

余生平抱烟霞之癖。早年行脚,三十住五台冰雪中者八稔,及居东海一十二载。知命之年,乃被业风吹堕瘴乡,将二十年。[2]嗟乎! 人生几何,忽忽往来已七十岁,浮光幻影,岂能长久。顷蒙圣恩,赐还初服,特来南岳作投老计。因缘未偶,乃就湖东古道场地,仗诸檀越助营安居。[3]创始于甲寅九月既望,落成于腊月逼除,草草苟完。从此一片身心,始得休息之地,如久客还家,以释重负,其逍遥洒落,何快如之。随有口占,命侍者录之,以志幽怀。非言诗也,兴来即笔,略无次第云耳。

【注释】

[1]这二十八首山居诗原载《憨山老人梦游集》卷四十九。

[2]万历二十三年(1595),50岁的憨山德清因海印寺庙址问题,以所谓"私创寺院"罪被官府拘捕,发配雷州,所谓瘴乡之地。至万历四十二年(1614),始蒙赦得还僧服。这一年憨山德清69岁。

[3]万历四十三年(1615)憨山德清游南岳,转年(1616)得护法居士邢来慈等之助,依于湖东归宗寺(位于江西星子县,庐山南麓)古道场,这组诗应作于此时。

[三五六]祇园借得一枝安,[1]从此无论道路难。日上三竿高卧稳,相看不必劝加餐。

【注释】

[1]祇园:"祇树给孤独园"之略称,又作"祇洹"等。本为印度佛教圣地之一,位于中印度憍萨罗国舍卫城之南,为须达长者为佛陀及其教团所建的僧坊,佛陀曾多次在此说法,为佛教史上著名遗迹。又中国僧人多用"祇园"代指佛寺,这里指归宗寺。

[三五七]雪压衡门夜拥炉,[1]此身虽寄恰如无。不知日月从何去,回首人间岁已徂。[2]

【注释】

[1]衡门:汉代蔡邕《郭有道碑文》:"尔乃潜隐衡门,收朋勤

诲,童蒙赖焉,用祛其蔽。"后以"衡门"指隐居之地。

[2]徂(cú),过去、逝去。

[三五八]灌木丛中一小庵,石床为座草为龛。杜门口似维
摩诘,[1]莫问前三与后三。[2]

【注释】

[1]《维摩经·入不二法门品》三十二菩萨各说不二法门后,
文殊师利问维摩诘"何等是菩萨入不二法门",时维摩默然无
言。文殊叹道:"善哉!善哉!乃至无有文字语言,是真入不二
法门。"吉藏《净名玄论》卷一谓:"释迦掩室于摩竭,净名杜口
于毗耶。""净名"为"维摩诘"之意译。

[2]前三与后三:参看中峰"懒将前后论三三"[二九一]
注释。

[三五九]形如枯木念如灰,[1]雪满头颅霜满腮。不是老来偏
厌世,眼中无处着尘埃。

【注释】

[1]《庄子·齐物论》:形固可使如槁木,而心固可使如死灰
乎?憨山德清《庄子内篇注》:"子綦既已忘形,则身同槁木,形
忘而机自息,故心若死灰。子游言:形与心,固可如槁木、死灰
乎?"又《庄子·知北游》:"形若槁骸,心若死灰。"

[三六〇]身心放下有余闲,垂老生涯在万山。不许白云轻

出谷，好随明月护柴关。[1]

【注释】
[1]柴关：柴门。刘长卿《送郑十二还庐山别业》："浔阳数亩宅，归卧掩柴关。"

[三六一]寒灯独照影微微，疏屋风吹雪满衣。忽忆五台跌坐处，[1]万年冰里一柴扉。

【注释】
[1]跌坐：跏趺坐之略称，指双足交迭而坐，佛教认为诸坐法中，结跏趺坐最安稳而不易疲倦。王维《登辨觉寺》："软草承跌坐，长松响梵声。"

[三六二]寒威入骨千峰雪，怒气冲人万窍风。[1]衲被蒙头初睡醒，不知身在寂寥中。

【注释】
[1]万窍风：苏轼《祭龙井辩才文》："律无持破，垢净皆空。讲无辩讷，事理皆融。如不动山，如常撞钟。如一月水，如万窍风。"此句"怒气"指狂风的威势。

[三六三]百千世界空华影，一片身心水月光。伎俩穷时消息断，[1]可中无处着思量。

[1]伎俩:技能、手段。禅门认为,伎俩只是获得觉悟的手段,并非觉悟本身,真正的悟是不可以思量的。《六祖坛经·机缘品》谓:有僧举卧轮禅师偈曰:"卧轮有伎俩,能断百思想。对境心不起,菩提日日长。"师(惠能)闻之,曰:"此偈未明心地,若依而行之,是加系缚。因示一偈曰:惠能没伎俩,不断百思想。对境心数起,菩提作么长?"黄元吉《乐育堂语录》卷三谓卧轮偈为"入定工夫在止念",非上乘境界,惠能偈则为"豁然贯通,无有无无"之境界。

[三六四]地炉无火石床寒,瓦鼎香消坐夜残。[1]万籁声沉心更寂,却疑身在镜中看。[2]

【注释】

[1]瓦鼎:陶制有耳有足的炊器,这里指形状类似的香炉。

[2]参看憨山德清《登南安城》:"城头瓣瓣涌青莲,花蕊香含万户烟。身在镜中人不识,更于此外觅诸天。"

[三六五]四围嘉树影扶疏,树下深藏一小庐。车马不闻人迹断,闭门长日独跏趺。

[三六六]寒雨潇潇风满林,莲花漏永夜沉沉。[1]谁知举世难醒梦,尽是光明般若心。

【注释】

[1]参看憨山"莲漏六时犹短"[三四六]诗注。

[三六七]夜深独坐事枯禅,拨尽寒灰火不然。[1]忽听楼头钟盘发,一声清韵满霜天。

【注释】

[1]黄庭坚《戏赠惠南禅师》:"胡床默坐不须说,拨尽寒灰劫数深。"

[三六八]雪满乾坤万象新,白银世界里藏身。坐来顿入光明藏,此处从来绝点尘。

[三六九]平湖冷浸菱荷衣,湖上青山绝是非。尘迹尽消人世远,白云鸥鸟总忘机。[1]

【注释】

[1]"白云"句:参看憨山"日夜烟霞护翠微"[三五五]诗注。

[三七〇]雪拥柴扉独坐时,寒林寸寸折琼枝。晓来顿失青山色,开尽梅花总不知。

[三七一]春过人日雪初晴,[1]新月疏林影更清。夜起推窗望寥廓,满天星斗挂檐楹。

184

[1]人日:旧俗以农历正月初七为人日。《太平御览》卷九七六引宗懔《荆楚岁时记》:"正月七日为人日。以七种菜为羹,剪彩为人或镂金箔为人,以贴屏风,亦戴之头鬓。又造华胜以相遗,登高赋诗。"

[三七二]云开四野动春光,何处梅花送暗香。曳杖欲寻幽谷去,[1]一枝斜倚在东墙。

【注释】
[1]曳杖:曳(yè),拖着、带着。这里指挂着拐杖。殷尧藩《李舍人席上感遇》:"飘然曳杖出门去,无数好山江上横。"

[三七三]一片云封万壑松,门前流水日淙淙。不分昼夜供鼾睡,好梦惊回隔岭钟。

[三七四]春深雨过落花飞,冉冉天香上衲衣。一片闲心无处着,峰头倚杖看云归。

[三七五]信步腾腾任所从,[1]形骸一似雪中松。偶来才向溪头立,又逐闲云过别峰。

【注释】
[1]腾腾:参看石屋"自入山来万虑澄"[一二三]诗注。

185

[三七六]麋鹿空山孰可从,输他丰草与长松。红尘纵有难醒梦,绝世何曾到万峰。

[三七七]垂垂白发对青山,身在千岩万壑间。寂寂松门无过客,往来唯有白云闲。

[三七八]青山不动自如如,[1]朝暮云霞任卷舒。纵有红尘深万丈,曾无一点到茅庐。

【注释】

[1]如如:谓诸法平等不二的法性理体。如,理的异名。隋代慧远《大乘义章》卷三:"诸法体同,故名为如……彼此皆如,故曰如如。"《六祖坛经·行由品》:"万境自如如,如如之心,即是真实。"又引申为永恒存在的真如。白居易《读禅经》:"摄动是禅禅是动,不禅不动即如如。"

[三七九]万峰深处独跏趺,历历虚明一念孤。身似寒空挂明月,唯余清影落江湖。

[三八〇]睡起呼童旋煮茶,竹炉汤沸雪如花。旗枪未竖魔先退,[1]始信丛林有作家。[2]

【注释】

[1]旗枪:绿茶名。由带顶芽的小叶制成。茶芽刚刚舒展成叶称旗,尚未舒展称枪,至二旗则老。陆游《效蜀煎茶戏作长

句》:"午枕初回梦蝶牀,红丝小磑破旗枪。"

[2]作家:此处为禅宗对善用机锋者的称呼。《景德传灯录·普岸禅师》:"有僧到参,师打一拄杖……僧却打师一拄杖。师曰:'作家!作家!'"苏轼《水陆法象赞》:"以此为道,穴胸陨首。是真作家,当师子吼。"

[三八一]倦倚虚窗坐看山,千峰紫翠出松间。无心纵许云来往,何似如如体更闲。

[三八二]月色松声总见闻,禅心妄想圣凡分。消归一念无生处,此意如何把似君。[1]

【注释】

[1]把似:奉上。贾岛《剑客》:"十年磨一剑,霜刃未曾试。今日把似君,谁为不平事。"

[三八三]平湖秋水浸寒空,古木霜飞落叶红。石径小桥人迹断,一庵深锁白云中。

楛堂山居诗[1]

【注释】

[1]楛堂禅师,生卒年不详,元初禅僧,名益,温州人,大慧宗杲法师四世法嗣,得法于净慈隐公,住于庆元奉化岳林寺,世传《山居诗》一编,事迹见《五灯全书》卷五十四。晚明高僧云栖袾宏对楛堂山居诗给予高度评价,谓:"永明、石屋、中峰诸大老皆有山居诗,发明自性,响振千古。而兼之乎气格雄浑,句字精工,则楛堂四十咏尤为诸家绝唱。所以然者,以其皆自真参实悟,溢于中而扬于外,如微风过极乐之宝树,帝心感乾闼之瑶琴,不搏而声,不抚而鸣,是诗之极妙,而又不可以诗论也。不攻其本而拟其末,终世推敲,则何益矣!愿居山者学古人之道,毋学古人之诗。"(《竹窗随笔》)

若按时代为序,楛堂山居诗应置于憨山德清之前,特此说明。

山居诗四十首

[三八四]千丈岩前倚杖藜,有为须极到无为。言如悖出青天滓,行不中修白璧疵。[1]马喻岂能穷万物,[2]羊亡徒自泣多歧。[3]霞西道者眉如雪,月下敲门送紫芝。

【注释】

[1]悖:混乱、荒诞。《大学》:"言悖而出者,亦悖而入。货悖而入者,亦悖而出。"这两句讲言行关系,如果言语悖妄,行为不端,就如青天上的尘滓,白璧上的瑕疵,这样的人是不能得道的。

[2]马喻:出自《庄子·齐物论》:"天地一指也,万物一马也。"憨山德清《庄子内篇注》谓:"若以此易地而观,指、马无二,则是非自无。由圣人照破,大而观之,不但人我一己之是非自绝,则天地与我并生,万物与我为一,斯则天地一指,万物一马耳,又何有彼此、是非之辩哉。"

[3]羊亡徒自泣多歧:出自《列子·说符》,大意为:杨子之邻人亡羊,率众追之,然歧路之中又有歧焉,不知所之,无获而返。这是说修道若不先了心而只图多闻,则会更为迷惑。

[三八五]乱流尽处卜幽栖,独树为桥过小溪。春雨桃开忆刘阮,[1]晚山薇长梦夷齐。[2]寻僧因到石梁北,待月忽思天柱西。[3]借问昔贤成底事,十年骑马听朝鸡。[4]

【注释】

[1]刘阮:据刘义庆《幽明录》:汉明帝永平五年,刘晨、阮肇至天台山采药迷路,遇二仙女,留住半年始归。时已入晋,子孙已过七代。后复入天台山寻访,旧踪渺然。

[2]夷齐:据《史记·伯夷叔齐列传》:伯夷、叔齐,为孤竹君之二子,父欲立叔齐。及父卒,叔齐让伯夷。伯夷曰:"父命也。"遂逃去,叔齐亦不肯立而逃之,国人立其中子。后周武王平殷,

天下宗周，而伯夷、叔齐耻之，义不食周粟，隐于首阳山，采薇而食之。

[3]天柱西：天柱山，在安徽潜山县西北。主峰天柱峰，海拔1485米。奇峰峻峭，有三祖寺、马祖庵、渡仙桥等古迹。其西侧有古仙人所造炼丹台，司空曙《送张炼师还峨嵋山》："太一天坛天柱西，垂萝为幌石为梯。前登灵境青霄绝，下视人间白日低。松籁万声和管磬，丹光五色杂虹霓。春山一入寻无路，鸟响烟深水满溪。"

[4]朝鸡：早晨报晓的鸡叫声，这里指为官者上早朝。本句直接用欧阳修《早朝感事》原句："笑杀汝阴常处士，十年骑马听朝鸡。"叶梦得《石林诗话》卷中记其事，谓：常待制秩，居汝阴，与王深父皆有盛名于嘉祐、治平之间，屡召不至，虽欧阳文忠公亦重推礼之，其诗所谓"笑杀颍川常处士，十年骑马听朝鸡"者是也。

[三八六]人间红日易西斜，万巧施为总莫夸。剖出无瑕方是玉，画成有足即非蛇。[1]拳伸夜雨青林蕨，[2]心吐春风碧树花。世念一毫融不尽，功名捷径在烟霞。[3]

【注释】

[1]画蛇添足亦为后世禅宗常用话头，如《了堂惟一禅师语录》："闻鼓声上法堂，雁行而立，图个什么？山僧据曲录木床，说黄道黑，指东画西，也是画蛇添足。"这是说一切解释言语都是多余的。

[2]蕨：初生如蒜苗，无叶，因似小儿拳，又名拳菜。见《尔

雅·释草》“蕨鳖”郝懿行《义疏》:“今蕨菜全似贯众而差小,初出如小儿拳,故名拳菜;其茎紫色,故名紫蕨。”

[3]功名捷径:据刘肃《大唐新语·隐逸》:卢藏用举进士,隐居终南山中,以翼征召,后果以高士名被召入仕,时人称之为随驾隐士。司马承祯尝被召,将还山,卢藏用指终南山曰:“此中大有嘉处。”承祯徐曰:“以仆视之,仕官之捷径耳。”这两句是说,如果心中的“世念”不能消融,那么隐居生活也可以成为“终南捷径”,与修道无关。

[三八七]白云影里呵呵笑,地老天荒更不疑。樵径有霜寻药冷,石窗无月了经迟。青瓶夜雪怜苏武,[1]黄犬西风叹李斯。[2]千古青编在天下,流芳遗臭更由谁?

【注释】

[1]苏武:《汉书·苏武传》载:苏武,字子卿。公元前100年任中郎将,奉命出使匈奴。匈奴贵族对他多方威胁诱降,均遭拒绝。后被迁到北海(今贝加尔湖)地区牧羊。他坚持十九年不肯屈服,“廪食不至,掘野鼠去草实而食之。杖汉节牧羊,卧起操持,节旄尽落”。公元前81年,匈奴与汉和好,遂被释放,终于返回长安。

[2]李斯:《史记·李斯列传》载:李斯,楚上蔡人。从荀卿学帝王之术,学已成,入事秦,以辅始皇,卒成帝业,权倾一时。后被赵高所陷,临刑前,“斯顾谓其中子曰:‘吾欲与若复牵黄犬,俱出上蔡东门,逐狡兔,岂可得乎!’遂父子相哭,而夷三族”。

[三八八]何事随流又入流,麻衣松食我罢休。昔人有意成欹器,[1]后世无因用直钩。[2]五斗折腰元亮仕,[3]千钟僭爵董权侯。[4]寻常阅遍荣枯事,输与空山枕石头。

【注释】

[1]欹器:古代一种倾斜易覆的盛水器。水少则倾,中则正,满则覆,人君每置于座右以为戒。《荀子·宥坐》:孔子观于鲁桓公之庙,有欹器焉。孔子顾谓弟子曰:"注水焉。"弟子挹水而注之,中而正,满而覆,虚而欹。孔子喟然而叹曰:"吁!恶有满而不覆者哉!"

[2]直钩:传说姜太公子牙出仕前钓于渭滨,所用钓钩是直的且不设饵。后因以"直钩"借指归隐生活。卢仝《直钩吟》诗:"人钩曲,我钩直,哀哉我钩又无食。文王已没不复生,直钩之道何时行。"

[3]五斗折腰:东晋陶潜,字渊明,性情淡泊,善诗好饮。《晋书·隐逸传·陶潜》:"执事者闻之,以为彭泽令……郡遣督邮至县,吏白:'应束带见之。'潜叹曰:'吾不能为五斗米折腰,拳拳事乡里小人邪!'义熙二年解印去县,乃赋《归去来》。"

[4]董权侯:东汉董卓,字仲颖,陇西临洮人。公元189年,应大将军何进之召,率兵进京诛灭宦官。不久废少帝,立献帝,专断朝政。残暴专横,胁迫献帝迁都长安,纵火焚烧洛阳宫室。后被王允、吕布所杀。传见《后汉书》卷七十二。僭(jiàn):僭越,超越本分。

[三八九]人生不满一百岁,今是昨非无定名。天下由来轻

两臂,[1]世间何故重连城?[2]龙亡大泽群鳅舞,兔尽平原走狗烹。[3]满目乱坡眠白石,有时特地忆初平。[4]

【注释】

[1]天下由来轻两臂:《庄子·让王》:"子华子曰:'今使天下书铭于君之前,书之言曰:左手攫之则右手废,右手攫之则左手废。然而攫之者必有天下。君攫之乎?'昭僖侯曰:'寡人不攫也。'子华子曰:'甚善!自是观之,两臂重于天下也。'"

[2]连城:据《史记·廉颇蔺相如列传》:赵得楚和氏璧,秦昭王闻之,使人遗赵王书,愿以十五城请易璧,故和氏璧又称连城璧,后世亦以"连城"指各种珍宝。

[3]兔尽平原走狗烹:《史记·越王勾践世家》载:勾践平吴后,范蠡遂去,自齐遗大夫文种书云:"飞鸟尽,良弓藏;狡兔死,走狗烹。越王可与共患难,不可与共乐,子何不去?"文种不去,终被杀。

[4]初平:传说中的仙人,即赤松子。曹唐《小游仙》诗之四十:"共爱初平住九霞,焚香不出闭金华。"

[三九〇]自知疏拙不可及,土凳柴床住翠嵊。夜火晴收枫坞叶,午茶寒煮石池冰。青林有雀安知鹄,[1]碧海非鲲不化鹏。[2]从此交游远朝市,乱山截截路棱棱。[3]

【注释】

[1]"青林"句:《史记·陈涉世家》:"陈涉少时,尝与人佣耕,辍耕之垄上,怅恨久之,曰:'苟富贵,无相忘。'庸者笑而应曰:

193

'若为庸耕,何富贵也?'陈涉太息曰:'嗟乎,燕雀安知鸿鹄之志哉!'"

[2]"碧海"句:用《庄子·逍遥游》语:"北冥有鱼,其名为鲲,鲲之大,不知其几千里也。化而为鸟,其名为鹏,鹏之背,不知其几千里也。怒而飞,其翼若垂天之云。"

[3]截截:整齐貌。王洽《河之坊》:"河之坊矣,截截其平。""乱山"在诗人眼中却是"截截",亦显示着禅意。

[三九一]自是不闲闲便得,矜功负势总徒劳。乾坤不换蜩双翼,[1]泰华何殊牛一毛。[2]揭石出潭秋水怒,卷茅落地晚风号。[3]满头白发干时政,谩说商山四皓高。[4]

【注释】

[1]"乾坤"句:"蜩翼"出自《庄子·齐物论》:"吾所待又有待而然者邪?吾待蛇蚹蜩翼邪?"憨山德清《庄子内篇注》谓:"言我所待者形,若蛇蚹蜩翼之徒物耳,彼何知哉。……世人学道,做忘我工夫,必先观此身如影、如蛇蚹蜩翼,则我执自破矣。"

[2]泰华:东岳泰山,西岳华山。此句用《庄子·秋水》篇意:"吾在于天地之间,犹小石小木之在大山也。方存乎见小,又奚以自多!计四海之在天地之间也,不似礨空之在大泽乎?计中国之在海内不似稊米之在太仓乎?号物之数谓之万,人处一焉;人卒九州,谷食之所生,舟车之所通,人处一焉;此其比万物也,不似豪末之在于马体乎?"

[3]"卷茅"句:借用杜甫《茅屋为秋风所破歌》:"八月秋高风怒号,卷我屋上三重茅。"

[4]商山四皓:秦末东园公、绮里季、夏黄公、甪里先生,避秦乱,隐于商山,年皆八十有余,须眉皓白,时称商山四皓。高祖召,不应。后高祖欲废太子,吕后用留侯计,迎四皓,辅太子,遂使高祖辍废太子之议。见《史记·留侯世家》。李白《商山四皓》:"白发四老人,昂藏南山侧。偃卧松雪间,冥翳不可识。……一行佐明圣,倏起生羽翼。功成身不居,舒卷在胸臆。窅冥合元化,茫昧信难测。"这两句说,四皓既已八十多岁,满头白发,时日无多,应一心修道,没有必要再去干预世间之事,与一般人的评价不同。

[三九二]千载繁华一弹指,[1]区区朝暮欲何为。黄金百镒有时尽,[2]白发数茎无药医。蕉下谩夸寻死鹿,[3]海中谁解接盲龟。[4]西风一夜天如洗,人世南柯梦正痴。[5]

【注释】

[1]一弹指:指弹指一次所需之时间,佛经常用来形容极短暂之时间,又作一弹指顷。《摩诃僧祇律》卷十七谓:"二十念名为一瞬,二十瞬名为一弹指。苏轼《过永乐文长老已卒》:"三过门间老病死,一弹指顷去来今。"

[2]镒(yì):古代重量单位,合二十两。

[3]"蕉下"句:《列子·周穆王》:"郑人有薪于野者,遇骇鹿,御而击之,毙之。恐人见之也,遽而藏诸隍中,覆之以蕉,不胜其喜。俄而遗其所藏之处,遂以为梦焉。"后以"蕉鹿"指梦幻。

[4]盲龟:《杂阿含经》卷十五:"世尊告诸比丘:'譬如大地悉成大海,有一盲龟寿无量劫,百年一出其头,海中有浮木,止

有一孔,漂流海浪,随风东西。盲龟百年一出其头,当得遇此孔不？'阿难白佛:'不能,世尊！所以者何？此盲龟若至海东,浮木随风,或至海西,南、北四维围绕亦尔,不必相得。'佛告阿难:'盲龟浮木,虽复差违,或复相得。愚痴凡夫漂流五趣,暂复人身,甚难于彼。'"盲龟遇浮木非常难,佛教常用来比喻得人身、值佛闻法之不易。

　　[5]南柯梦:李公佐《南柯太守传》载:唐代淳于棼做梦到大槐安国享受富贵荣华,醒来后发现乃一场大梦,大槐安国原来是大槐树下之蚁穴。蕅益智旭《蕅益三颂》:"大地本来无寸土,空中行住未为难。几多悲智庄严事,一枕南柯梦欲残。"

　　[三九三]念念心心不得住,胡为自抱百年忧。[1]虚空有体需亲证,定慧无门莫妄修。睡起碧天三丈日,诗成青树一声鸠。双林大士分明说,[2]会取桥流水不流。[3]

【注释】

　　[1]"念念"两句:在佛教看来,一般人的心念是刹那不停,驰骛不息的。人的身体也是四大假合,缘合即有,缘散即灭,明了此理,即对世间生灭现象抱有一种淡然坦然的心态,何必为此忧虑呢？

　　[2]双林大士:南朝佛教神异人物,后世被视为弥勒菩萨化身。本名傅翕,人称傅大士,又称善慧大士,浙江义乌双林乡人。主张三教兼融不废,曾为梁武帝说法。

　　[3]"会取"句:会取:体会、体悟。《五灯会元》卷一载傅大士偈:"空手把锄头,步行骑水牛。人从桥上过,桥流水不流。"从

日常躬耕的经验中体悟到事物动静的相对性，说明动静不异的道理。悟得此理，即证得本诗第三句所说那个永恒不动的"虚空之体"。

[三九四]与世不干诸境尽，更将何事入思量。观河不改初年见，[1]种菊唯期晚节香。[2]烟暖鹿眠三径草，夜寒雁叫一天霜。凭谁说与贪痴客，荒陇枯骸晒夕阳。

【注释】

[1]"观河"句：《楞严经》卷二：佛告大王："汝见变化，迁改不停，悟知汝灭；亦于灭时，汝知身中有不灭耶？"波斯匿王合掌白佛："我实不知。"佛言："我今示汝不生灭性。大王，汝年几时见恒河水？"王言："我生三岁，慈母携我谒耆婆天，经过此流，尔时即知是恒河水。"佛言："大王，如汝所说，二十之时衰于十岁，乃至六十，日月岁时念念迁变，则汝三岁见此河时，至年十三，其水云何？"王言："如三岁时，宛然无异，乃至于今年六十二，亦无有异。"佛言："汝今自伤发白面皱，其面必定皱于童年，则汝今时观此恒河，与昔童时观河之见，有童耄不？"王言："不也，世尊。"佛言："大王，汝面虽皱，而此见精，性未曾皱。皱者为变，不皱非变。变者受灭，彼不变者，元无生灭，云何于中受汝生死？而犹引彼末伽梨等都言此身死后全灭！"圆瑛法师《大佛顶首楞严经讲义》谓："此科正显能见之性不变。先以皱变对显，其面必定皱于童年者，因此不是本来面目，故有皱变。故问今时观河，与昔童时观河之见，有老少否？童即少，耄即老，不必定指九十岁曰耄。王答：'不也，世异。'此中有一

197

疑问，必须解释。问：'世有年老，精神健康，聪明不衰者，可说不变，多有老眼昏暗，如何可说不变？'答曰：'自是眼暗，非关见性之事。若凡不信，我有一比例：世有老人，眼根昏暗，戴着眼镜一看完全明白，如说见性有变，眼镜亦复无用，今一戴眼镜则明，足验见性不变，自是眼昏，不是见性亦昏。如盲人眼根虽坏，见性无亏，眼镜但为助缘而已，实是性明，不是镜明。若定执镜明，未戴眼上，何以不明？'"

[2]"种菊"句：陶渊明喜种菊，其《饮酒》诗"采菊东篱下，悠然见南山"，乃千古名句。明代于谦《渊明像》："杖履逍遥五柳旁，一辞独擅晋文章。黄花本是无情物，也共先生晚节香。"

[三九五]乱山环碧不知重，残日晴霞映岳红。数有废兴秦失鹿，[1]物无得丧楚亡弓。[2]虚名万事雪填井，[3]幻景百年绳系风。[4]转忆天台旧游处，倚松看瀑石桥东。

【注释】

[1]秦失鹿：喻失去天下。《史记·淮阴侯列传》："秦失其鹿，天下共逐之。"裴骃集解："以鹿喻帝位也。"

[2]楚亡弓：《说苑·至公》："楚共王出猎而遗其弓，左右请求之。共王曰：'止！楚人遗弓，楚人得之，又何求焉。'仲尼闻之，曰：'惜乎其不大！亦曰：人遗弓，人得之而已，何必楚也！'仲尼所谓大公也。"《吕氏春秋·贵公》则谓："荆人有遗弓者，而不肯索，曰：'荆人遗之，荆人得之，又何索焉？'孔子闻之曰：'去其荆而可矣。'老聃闻之曰：'去其人而可矣。'故老聃则至公矣。"参看云栖袾宏《竹窗随笔》的阐发："楚王固沧海之胸

襟,而仲尼实乾坤之度量也。虽然,仲尼姑就楚王言之,而未尽其所欲言也。何也? 向不能忘情于弓也。进之则王失弓,王犹故也,无失也;假令王复得弓,王犹故也,无得也。虽然,犹未也,尚不能忘情于我也。又进之,求其所谓我者不可得,安求其所谓弓也、人也、楚也。"这个例子颇可见儒道佛三教境界之不同。

[3]雪填井:将雪填入井中,比喻徒劳无益。《建中靖国续灯录》卷十七:"广说海藏言诠,一如担雪填井。"《天岸升禅师语录》:"坐禅者大似担雪填井,吟诗者何异捏雪成团惟。"

[4]绳系风:用绳子系住风。金颖《新罗国武州迦智山宝林寺谥普照禅师灵谥碑铭》:"像教纷纭,罕契真空,互持偏见,如擘水求月,搓绳系风,徒有劳于六情,岂可得其至理。"

[三九六]寥寥此道语何人,独掩柴扉日又昏。六凿未分谁扰扰,[1]一爻才动自纭纭。[2]空林雨歇鸠呼妇,[3]阴壑风寒虎啸群。毁桀誉尧情未尽,[4]有身赢得卧深云。

【注释】

[1]六凿:指耳、目等六孔,即眼、耳、鼻、舌、身、意等六根。《庄子·外物》:"心无天游,则六凿相攘。"成玄英疏:"凿,孔也。"又《庄子·应帝王》:"南海之帝为倏,北海之帝为忽,中央之帝为浑沌。倏与忽时相遇于浑地,浑沌待之甚善。倏与忽谋报浑沌之德,曰:'人皆有七窍以视听食息,此独无有,凿之。'日凿一窍,七日而浑沌死。""六凿未分"即浑沌状态,亦即"父母未生前之本来面目"。憨山德清《庄子内篇注》谓:"小知伤

199

生、养形而忘生之主、以物伤生,种种不得逍遥,皆知巧之过。盖都为凿破混沌,丧失天真者。即古今宇宙两间之人,自尧舜以来,未有一人而不是凿破混沌之人也。此特寓言大地皆凡夫愚迷之人,概若此耳。"

[2]一爻才动:《周易》中一卦由六爻组成,一爻动即生变化。在佛教即指无明暗动,而有生老病死等种种变化。《庐山天然禅师语录》:"混沌未分,元无彼此。一爻才动,始兆暗明。"

[3]鸠呼妇:欧阳修《鸣鸠》:"鸠呼妇归鸣且喜,妇不亟归呼不已。"以鸠鸟喻人间的夫妻相随。

[4]毁桀誉尧:《庄子·大宗师》:"与其誉尧而非桀,不如两忘而闭其所誉。"

[三九七]一瓢饮涧碧云凉,老桂吹香满石房。未熟黄粱犹作梦,[1]忽观青镜自生狂。[2]八还有变千差起,[3]六度无修万法忘。[4]闲拍长松发长叹,战争三月火咸阳。[5]

【注释】

[1]"未熟"句:沈既济《枕中记》载:卢生在邯郸客店遇道士吕翁,生自叹穷困,翁探囊中枕授之曰:枕此当令子荣适如意。时主人正蒸黄粱,生梦入枕中,享尽富贵荣华。及醒,黄粱尚未熟,怪曰:"岂其梦寐耶?"翁笑曰:"人世之事亦犹是矣。"后以"黄粱梦"喻虚幻的事和不能实现的欲望。

[2]"忽观"句:《楞严经》卷四:"室罗城中,演若达多。忽于晨朝,以镜照面。爱镜中头,眉目可见。瞋责己头,不见面目。以为魑魅,无状狂走。"思坦《楞严经集注》谓:"晨朝是喧动之初,

喻起妄心之始；照镜喻妄心推画分别；爱镜中头喻取著妄境，妄事易著如眉目可见，真理难知，如嗔责己头等；背悟向迷，如无状狂走也。"

[3]八还：《楞严经》卷二载，阿难不知"尘有生灭，见无动摇"之理，而妄认缘尘，随尘分别，如来遂以"心""境"二法辨其真妄，又以八种变化之相辨之，用以显示"所见之境可还，能见之性不可还"之理，称为"八还"。

[4]六度：大乘佛教指菩萨欲成佛道所实践的六种行为，又称六波罗蜜，即：布施、持戒、忍辱、精进、禅定、智慧。

[5]火咸阳：《史记·项羽本纪》载，项羽屠咸阳，"烧秦宫室，火三月不灭"。徐钧《始皇》："三山有药身旋死，万世无期祚竟亡。速死趋亡皆自取，鲍鱼才歇火咸阳。"

[三九八]异草灵苗世莫栽，萝龛禅起独徘徊。岳僧近写茶经去，海客遥寻药坞来。[1]晓洞云腥龙孕子，夜天月冷兔怀胎。[2]不知世异真风远，武帝开池问劫灰。[3]

【注释】

[1]药坞：四面高中间低，用以炮制草药之处。

[2]晓洞两句：龙喻云，兔喻月，龙孕子、兔怀胎分别指云中孕雨和月圆。

[3]劫灰：劫火时将万物烧尽而成之灰。慧皎《高僧传·译经上·竺法兰》："昔汉武穿昆明池底，得黑灰，问东方朔。朔云：'不知，可问西域胡人。'后法兰既至，众人追以问之，兰云：'世界终尽，劫火洞烧，此灰是也。'"后亦指战乱或大火毁坏后的

201

残迹或灰烬。

[三九九]千年明镜忽生尘，逐妄迷真岂有因。[1]海上刻舟求剑客，[2]市中正昼攫金人。[3]万牛难挽清风转，两曜偏催白发新。[4]此事知音古来少，碧天无际地无垠。

【注释】

[1]"逐妄"句：《楞严经》卷四："妙觉明圆，本圆明妙。既称为妄，云何有因？若有所因，云何名妄？自诸妄想，展转相因，从迷积迷，以历尘劫，虽佛发明，犹不能返。"

[2]刻舟求剑：《吕氏春秋·察今》："楚人有涉江者，其剑自舟中坠于水，遽契其舟，曰：'是吾剑之所从坠。'舟止，从其所契者入水求之。舟已行矣，而剑不行，求剑若此，不亦惑乎？"《五灯全书》卷二十三："上堂：'心不是佛，智不是道。且道是什么？刻舟求剑，胶柱调弦。'"

[3]正昼攫金：《列子·说符》：昔齐人有欲金者，清旦衣冠而之市。适鬻金者之所，因攫其金而去。吏捕得之，问曰："人皆在焉，子攫人之金何？"对曰："取金之时，不见人，徒见金。"《象田即念禅师语录》卷三："逐兽者不见山，物敝其目；攫金者不见人，利圈其心；住山者不见道，境移其智；见道者不见山，识忘其心。惟无住而生心者，无见而无所不见也。"

[4]两曜：日月。《列祖提纲录》卷八："兜率悦禅师上堂：'始见新春，又逢初夏。四时若箭，两曜如梭。不觉红颜，翻成白首。'"

[四〇〇]雪晴春色透篱门,碧嶂生寒翠窦昏。诗向静中通造化,道从空外见根源。营营狡兔占三窟,[1]逐逐蜣螂转一丸。[2]输我此时都不会,半檐冻日见羲轩。

【注释】

[1]狡兔占三窟:《战国策·齐策四》:"冯谖谓孟尝君曰:'狡兔有三窟,仅得免其死耳。今君有一窟,未得高枕而卧也。请为君复凿二窟。'"

[2]蜣螂转一丸:蜣螂(qiāng láng),一种黑色昆虫,又名蛣蜣,俗称屎壳郎。《庄子·齐物论》:"蛣蜣之智,在于转丸。"谓蜣螂喜取粪推转而成丸。黄庭坚《演雅》:"蛣蜣转丸贱苏合,飞蛾赴烛甘死祸。"以上两句喻世人用尽心机,奔波劳碌。

[四〇一]心心心已歇驰求,纸帐卷云眠石楼。生死百年花上露,悟迷一旦镜中头。[1]人言见道方修道,我笑骑牛又觅牛。[2]举足便超千圣去,百川昨夜转西流。

【注释】

[1]"悟迷"句:参看楠堂"一瓢饮涧碧云凉"[三九七]诗注释。

[2]骑牛又觅牛:比喻物本已有而反外求,永远也求不到。《景德传灯录》卷九:"(大安禅师)即造于百丈,礼而问曰:'学者欲求识佛,何者即是?'百丈曰:'大似骑牛觅牛。'师曰:'识后如何?'百丈曰:'如人骑牛至家。'"禅宗语录亦常作骑驴觅驴,如《景德传灯录》卷二十九梁宝志和尚《大乘赞》:"不解即心即佛,真似骑驴觅驴。"

[四〇二]溪隔红尘树锁烟,寒蒲终日自安然。黄河定是有清日,[1]曲木其如无直年。[2]道在玄珠澄赤水,[3]德亡神剑跃深渊。从来不结东林社,[4]屋外开池自种莲。

【注释】

[1]"黄河"句:黄河水本浑浊,古人以黄河水清为祥瑞的征兆,亦指难得、罕见之事。《易纬乾凿度》卷下:"天之将降嘉瑞应,河水清三日。"《增广贤文》云:"黄河尚有澄清日,岂可人无得运时。"

[2]其如:怎奈、奈何。"曲木"句谓弯曲的木头永远也长不直。

[3]道在玄珠:"玄珠"喻道体。《庄子·天地》:"黄帝游乎赤水之北,登乎昆仑之丘而南望,还归,遗其玄珠。使知索而不得,使离朱索之而不得,使吃诟索之而不得也。乃使象罔,象罔得之。黄帝曰:'异哉,象罔乃可以得之乎?'"林云铭《庄子因》谓:"玄者,幽深莫测,不可色象之名;珠者,体圆而光,转动不滞,深藏渊海之宝。释氏谓泰米,以比性灵也。知,思维也;离朱,见也;吃诟,言也。三者皆足以蔽真性,故愈求愈远。象则非无,罔则非有;非有非无,不皦不昧,此玄珠之所以得也。"

[4]东林社:晋朝慧远法师结莲社于庐山东林寺,弘扬净土法门,以往生西方净土为宗旨。下句"自种莲"意为:不求生往西方极乐世界,自性莲花开放,当下即是极乐世界。

[四〇三]太古淳风久未回,[1]滔滔末劫转堪哀。[2]素丝受色

离蚕口,明月蒙尘出蚌胎。[3]无病空花宁翳眼,有疑弓影自沉杯。[4]何人死得偷心尽,[5]来共锄云伴种梅。

【注释】

[1]太古:远古、上古。淳风:敦厚古朴的风俗。

[2]末劫:梵语 kalpa 之音译,全称为"劫波",佛教经典记载,一个"大劫"即为一个世界从生成到毁灭的过程,其中分为成、住、坏、空等四个"中劫",末劫指"坏劫"即将进入"空劫"的最后阶段,众生极度受苦。

[3]素丝受色:将白色的丝染出颜色。与本句的"明月蒙尘出蚌胎"皆是对"滔滔末劫"人们离"太古淳风"越来越远的描述。蚌胎为珍珠,古人以为蚌孕珠如人怀妊,并与月的盈亏有关,故称。高适《和贺兰判官望北海作》:"日出见鱼目,月圆知蚌胎。"

[4]弓影:《风俗通义》载:杜宣夏至赴宴,见酒杯中似有蛇,饮酒后腹痛。后得知乃壁上赤弩照影于杯中,疼痛立止。中国佛教常用"弓影"典故喻虚妄境界。《林泉老人评唱投子青和尚颂古空谷集》卷二:"夜冢髑髅元是水,客杯弓影竟非蛇。性空心月无圆缺,枉被迷云取次遮。"

[5]偷心:原指偷盗之心,禅宗转指向外分别之心、诈伪之心等。《楞严经》卷六:"汝修三昧,本出尘劳,偷心不除,尘不可出。纵有多智,禅定现前,如不断偷,必落邪道。"

[四〇四]节节梯云入翠微,剪藤就树缚茅茨。道存颜巷一瓢乐,[1]力尽楚歌千古悲。[2]平地起波方是险,[3]连云开栈未为

危。[4]此生自许无他事,长与青山绿水期。

【注释】

[1]"道存"句:《论语·雍也》:子曰:"贤哉!回也。一箪食,一瓢饮,在陋巷。人不堪其忧,回也不改其乐。贤哉!回也。"

[2]《史记·项羽本纪》:项王军壁垓下,兵少食尽,汉军及诸侯兵围之数重。夜闻汉军四面皆楚歌,项王乃大惊,曰:"汉皆已得楚乎?是何楚人之多也。"

[3]用唐代刘禹锡《竹枝词》诗意:"瞿塘嘈嘈十二滩,此中道路古来难。长恨人心不如水,等闲平地起波澜。"

[4]连云开栈:指在高山上开山垦荒。

[四〇五]古道何曾涉战争,目前蛮触自相陵。[1]醉人富贵九酝酒,缚世困穷三尺绳。失意徒悲乌绕树,[2]得时谁念鼠侵藤。[3]何因平得世间路,万别千差出爱憎。[4]

【注释】

[1]蛮触:《庄子·则阳》:"有国于蜗之左角者,曰触氏;有国于蜗之右角者,曰蛮氏。时相与争地而战,伏尸数万,逐北,旬有五日而后反。"《庄子因》谓:"以俗眼观之,无小不大;以道眼观之,无大不小。"白居易《禽虫》诗之七:"蟭螟杀敌蚊巢上,蛮触交争蜗角中。"

[2]"失意"句:曹操《短歌行》:"月明星稀,乌鹊南飞。绕树三匝,何枝可依?"

[3]鼠侵藤:出自《佛说譬喻经》等多种佛经。《翻译名义集》

卷五之转述较为简要,并指点寓意,谓:"昔有一人,避二醉象(生死),缘藤(命根)入井(无常),有黑白二鼠(日月),啮藤将断。旁有四蛇欲螫(四大),下有三龙吐火张爪拒之(三毒)。其人仰望二象,已临井上,忧恼无托。忽有蜂过,遗蜜滴入口(五欲),是人唼蜜,全亡危惧。"此段佛教寓言极言尘世众生生命无常、轮回之苦和众生不能觉悟之状态。

[4]"何因"两句:诗最后点出顽固的"我执"是世间一切烦扰、争斗的根源,唯有忘掉爱憎,才能使世间之路归于平坦大道。《圆觉经》谓:"由此便生憎、爱二境,谓由执四相为实我体,所以于自生爱,于他生憎,顺我者爱,违我者憎,如是爱憎,皆由执我。"

[四〇六]曦车一忽不容留,[1]祸福无门是自求。[2]理绝情忘金出井,[3]尘空垢尽镜涵秋。徒夸季子六朝印,[4]漫说元龙百尺楼。[5]满屋黄金难买寿,青山垒垒葬公侯。

【注释】

[1]曦车:曦和所驾之车,指太阳,又引申为时光。褚亮《奉和咏日午》:"曦车日亭午,浮箭未移晖。"

[2]"祸福无门"句:《左传·襄公二十三年》:"祸福无门,唯人所召。"

[3]金出井:《传法正宗记》卷三《罗睺罗多大士传》:"大士乃问之曰:'汝身定耶?心定乎?'难提答曰:'我身心俱定。'又曰:'心身俱定,何有出入?'答曰:'虽有出入,不失定相。如金在井,金体常寂。'又曰:'若金在井,若金出井,金无动静,何物

出入？'答曰：'言金动静，何物出入？言金出入，金非动静。'又曰：'若金在井，出者何物？'答曰：'金若出井，在者非金。金若在井，出者非物。'"

[4]"徒夸"句：战国苏秦字季子。《史记·苏秦列传》："苏秦喟然叹曰：'此一人之身，富贵则亲戚畏惧之，贫贱则轻易之，况众人乎！且使我有洛阳负郭田二顷，吾岂能佩六国相印乎！'"

[5]"谩说"句：东汉陈登，字元龙。《三国志·陈登传》载，许汜与刘备并在荆州牧刘表坐，表与备共论天下人，汜曰："陈元龙湖海之士，豪气不除。"备谓表曰："许君论是非？"表曰："欲言非，此君为善士，不宜虚言；欲言是，元龙名重天下。"备曰："君有国士之名，今天下大乱，帝主失所，望君忧国忘家，有救世之意，而君求田问舍，言无可采，是元龙所讳也，何缘当与君语？如小人，欲卧百尺楼上，卧君于地，何但上下床之间邪？"表大笑。备因言曰："若元龙文武胆志，当求之于古耳，造次难得比也。"

[四〇七]无为毕竟无为也，毕竟无为那处安？[1]玉轴晓开先佛偈，[2]翠微晴扫古仙坛。从他铸印复销印，[3]任尔弹冠与挂冠。[4]直入千峰万峰去，人间谩说路行难。

【注释】

[1]毕竟无为：即佛涅槃安住之境界。延寿《万善同归集》谓："问：'初心入道，言行相扶，万善资熏，不无其理。果地究竟，大事已终，境智虚闲，何须众行乎？'答：'果德佛位，毕竟无为，若无边行门，八相成道，皆是佛后普贤行收，任运常然，尽

未来际。"

[2]先佛偈：即古佛偈，如佛教中流传之七佛偈等。

[3]铸印复销印：铸造和销毁官印，指政权之更替。《史记·留侯世家》载：刘邦先听从郦食其的建议，复立六国后世，铸印以示德义。张良闻曰："若立六国，则其后世必与汉争霸。"刘邦旋令速销其印。姚佺《张子房》："乃至秦亡韩有后，一言销印为谁谋。"

[4]弹冠与挂冠：出仕(戴上官帽)与辞官(摘下官帽)，指个人官禄的升降。颜之推《古意》："十五好诗书，二十弹冠仕。"据《后汉纪·光武帝纪五》载，逢萌为避王莽祸，"解衣冠，挂东都城门，将家属客于辽东"。

[四〇八]闲看青天走白日，自来堪叹不堪言。盗思高冢藏金瓮，鬼笑豪家限铁门。[1]漠北征夫秋饮马，岭南迁客夜闻猿。古今谁似寒山子，[2]千偈能穷万法源。

【注释】

[1]"鬼笑"句："限铁门"指打铁作门限，以求坚固，作长久打算。王梵志《世无百年人》："世无百年人，强作千年调。打铁作门限，鬼见拍手笑。"范成大《重九日行营寿藏之地》："纵有千年铁门限，终须一个土馒头。"此句与上句相对，对世人疯狂追逐荣华富贵，而自以为是长久之计形成强烈讽刺。

[2]寒山子：唐代诗僧，隐居于浙江天台寒岩，因称寒山子或寒山，与国清寺僧拾得友善，好吟诗唱偈，有诗三百余首，后人辑为《寒山子诗集》三卷。如拾得诗所谓："有偈有千万，卒急

述应难。若要相知者,但入天台山。岩中深处坐,说理及谈玄。共我不相见,对面似千山。"这句和下一句表达自己对寒山、拾得等人的敬仰之情。

[四〇九]利名忙不到云林,白日自升还自沉。诗出杳冥空有象,道超玄妙合无心。棕鞋踏冻石梯滑,松帚扫霜山径阴。刖足燃脐总堪笑,[1]一庵长掩乱云深。

【注释】

[1]刖足:刖(yuè),古代一种酷刑,把脚砍掉。春秋楚人卞和得玉璞,先后献给楚厉王和楚武王,都被认为欺诈,受刖刑。楚文王即位,他抱璞哭于荆山下,文王使人琢璞,得宝玉,名为"和氏璧"。《史记·鲁仲连邹阳列传》:"昔卞和献宝,楚王刖之。"燃脐:《后汉书·董卓传》:"乃尸卓于市。天时始热,卓素充肥,脂流于地。守尸吏然火置卓脐中,光明达曙,如是积日。"后以"燃脐"指元凶伏法。

[四一〇]山中久住无人识,百折烟痕老布袍。尘净一盘珠湛湛,机生四海浪滔滔。春风金谷园何在?[1]明月首阳山转高。[2]人世白驹飞过隙,可怜留核种蟠桃。[3]

【注释】

[1]金谷园:晋石崇富豪,于金谷涧中所筑的园馆名金谷园,常在此宴集宾客。石崇为人骄奢淫逸,暴虐好杀,后被指为乱党,夷三族。

210

[2]首阳山：位于河南偃师县境内，因"日出之初，光必先及"而得名。武王平殷乱，天下宗周，而伯夷、叔齐耻之，义不食周粟，隐于首阳山，采薇而食。

[3]《汉武故事》载："（西王母）出桃七枚，母自啖二枚，与（汉武）帝五枚，帝留核着前，王母问曰：'用此何为？'上曰：'此桃美，欲种之。'母笑曰：'此桃三千年一着子，非下土所植也。'"

[四一一]残山剩水占斜阳，休说秦王与汉王。易外无爻翻否泰，[1]尘中有国系兴亡。秋风蓬岛仙乡远，夜雪蓝关客路长。[2]古佛有言如皎月，照人烦恼作清凉。[3]

【注释】

[1]"易外"句：中国佛家解读《易经》，将"易"视为天地万物之本源，其本体不生不灭。如蕅益《灵峰宗论·藏野说》所谓："藏乾坤于易，易外无乾坤；藏易于乾坤，乾坤外亦无易……斯之谓物物一太极，太极本无极也。""否""泰"为《易》之两卦，天地相交曰泰，天地不交曰否，常用来代表世道盛衰、人事通塞或运气好坏等。"爻翻"即"爻变"，指"否""泰"之间的互相变异。这一句与下句连在一起，意谓：就不生不灭的本体而言，人世间的一切荣辱盛衰、否泰兴亡等，无任何意义。

[2]"夜雪"句：借用韩愈《左迁至蓝关示侄孙湘》："云横秦岭家何在，雪拥蓝关马不前。"用以指不明大道、未了生死、内心惶惑的芸芸众生。

[3]《佛祖统纪》卷十二载王安石诗："惟愿时人观此境，尽将烦恼作清凉。"

[四一二]从他鹿角马头安,[1]历历千年此道存。刑法措时应返朴,是非齐后自归源。相韩卿赵裈中虱,[2]霸楚王吴槛外猿。[3]一句无私今古共,人间天上与谁论。

【注释】

[1]鹿角马头:《史记·秦始皇本纪》载:赵高欲为乱,恐群臣不听,乃先设验,持鹿献于二世,曰:"马也。"二世笑曰:"丞相误邪,谓鹿为马。"问左右,左右或默,或言马以阿顺赵高。本句以此指玩弄权术。

[2]相韩卿赵:韩国之宰相,赵国之公卿。裈(kūn),亦作"裈",古代的裤子。阮籍《大人先生传》:"世之所谓君子,惟法是修,惟礼是克。……独不见群虱之处裈中?逃乎深缝,匿乎坏絮,自以为吉宅也。行不敢离缝际,动不敢出裈裆。自以为得绳墨也。然炎丘火流,焦邑灭都,群虱处于裈中而不能出也。"佛教亦常以此喻众生处于生死轮回中。

[3]霸楚王吴:在楚国称霸,在吴国称王。与上句"相韩卿赵"皆泛指世间之争斗权谋。槛外猿:关在栅栏中的猿猴。《淮南子·俶真训》:"故世治则愚者不能独乱,世乱则智者不能独治。身蹈于浊世之中,而责道之不行也,是犹两绊骐骥,而求其致千里也。置猿槛中,则与豚同,非不巧捷也,无所肆其能也。"纵观全诗,三、四句点出的"返朴"与"归源"为一篇旨要所在。

[四一三]一念不生万缘尽,楮裯茅席亦胜毡。[1]采薇义士耻周粟,饮水圣人辞盗泉。[2]自爱山中无杂事,谁言教外有单

传。[3]古今岸谷几迁变,华屋朱门保百年。

【注释】

[1]楮(chǔ):落叶乔木。裯:被单。

[2]“采薇”句,见“乱流尽处卜幽栖”诗注。饮水句:《尸子》卷下:“(孔子)过于盗泉,渴矣而不饮,恶其名也。”《淮南子·说林训》:“曾子立廉,不饮盗泉。”

[3]教外单传:对中国禅宗之称谓,如《宗统编年》卷三十一云:“祖师西来,秉教外单传,别行一路。”亦称教外别传,意为如来言教以外的特别传授。

[四一四]铁载能浮羽楫沉,败非成是迹休寻。谩言解返秦庭璧,[1]须信难藏郿坞金。[2]甜到尽时忘蜜味,酸从回处见梅心。青山若个不堪住,独买沃州支遁林。[3]

【注释】

[1]秦庭璧:指和氏璧。《史记·廉颇蔺相如列传》载:赵惠文王时,秦向赵索要“和氏璧”,赵国大臣蔺相如奉命带璧入秦,在秦廷与秦王力争,最终携带原璧归国。

[2]郿坞金:指奸佞藏财企图享乐终老之所。东汉初平三年,董卓筑坞于郿(今陕西眉县),高厚七丈,与长安城相垺,号曰万岁坞,世称“郿坞”。坞中广聚珍宝,积谷为三十年储,后卓败而坞毁,搜出郿坞金三万斤。

[3]沃州支遁林:在浙江省新昌县东。上有放鹤亭、养马坡,相传为东晋高僧支遁放鹤养马处。皇甫冉《题昭上人房》:“沃

州传教后,百衲老空林。"

[四一五]荒径欹斜挂藋蓬,[1]半箩红粟倩溪春。山中有客见
真虎,[2]尘内何人识卧龙。[3]秋竹走筲穿断石,[4]老藤行蔓上枯
松。晚风断送云归去,僧打原西寺里钟。

【注释】

[1]藋(diào),一种藜类植物。《左传·昭公十六年》:"斩之
蓬蒿藜藋,而共处之。"

[2]"山中"句:据《法苑珠林》卷三十二《变化篇》载:"魏时,
寻阳县北山中蛮人有术,能使人化作虎,毛色介身悉如真虎。
余乡人周畛有一奴,使入山伐薪,奴有妇及妹亦与俱行。既至
山,奴语二人云:'汝且上高树,视我所为。'如其言。既而入草,
须臾一大黄斑虎从草出,奋迅吼唤,甚为可畏,二人大怖。良
久,还草中,少时,复还为人,语二人归家慎勿道。"云云。

[3]卧龙:喻隐居或尚未崭露头角的杰出人才。《三国志·蜀
志·诸葛亮传》:"(徐庶)谓先主曰:'诸葛孔明者,卧龙也,将军
岂愿见之乎?'"《晋书·嵇康传》:"(钟会)言于文帝曰:'嵇康,
卧龙也,不可起,公无忧天下,顾嵇康为虑耳。'"

[4]筲(biān):竹制的舆床。王安石《雨花台》:"筲舆却走垂
杨陌,已载寒云一两星。"

[四一六]我自将心与我安,[1]从他迷悟不相干。养来木马追
风急,放去泥牛饮海干。[2]念起万途皆有碍,理穷千圣透应难。
红炉焰上看飞雪,刹刹尘尘海岳寒。

214

[1]"我自"句:用禅宗初祖达摩启迪二祖慧可典故。据《五灯会元》卷一载:"可曰:'我心未宁,乞师与安。'祖曰:'将心来,与汝安。'可良久曰:'觅心了不可得。'祖曰:'我与汝安心竟。'"

[2]木马泥牛:木制之马、泥塑之牛无有思虑念度之作用,中国禅宗常用以喻无心无念之解脱相。如《续传灯录》卷二十四载了心禅师偈:"佛之一字孰云无,木马泥牛满道途。倚遍阑干春色晚,海风吹断碧珊瑚。"

[四一七]施为动转无他事,[1]万两黄金也合消。百岁光阴多自弃,一身荣辱是谁招?灌蔬月下担寒浪,移石云根接断桥。轩冕难辞功业盛,[2]古贤时亦负渔樵。[3]

【注释】

[1]施为动转:指世间一切有为法,皆是作业而已,故曰无他事。

[2]轩冕:古时大夫以上官员的车乘和冕服。《管子·立政》:"生则有轩冕、服位、穀禄、田宅之分,死则有棺椁、绞衾、圹垄之度。"

[3]负:败于,难敌。此句谓古来官僚士大夫等"贤人"们由于有轩冕、功业等牵累,其人生未必超过那些渔父樵夫。

[四一八]拟将黄叶止儿啼,[1]搔首碧天红日低。谗舌不磨铦似剑,[2]利心非酒醉如泥。堪嗟西社无人结,[3]却笑南华有物

215

齐。[4]门外桃花锦千树,分明画出武林溪。

【注释】

[1]黄叶止儿啼:《大般涅槃经》卷二十:"如彼婴儿啼哭之时,父母即以杨树黄叶而语之言:'莫啼莫啼,我与汝金。'婴儿见已,生真金想,便止不啼,然此杨叶,实非金也。"

[2]铦(xiān):锋利貌。

[3]西社:指西方莲社,念佛往生阿弥陀佛西方极乐世界的法门。这句是说,世间人难以相信净土法门,很少有人能够诚心念佛。

[4]"却笑"句:《庄子》又名《南华经》,其第二篇为《齐物论》,其中说:"夫天下莫大于秋豪之末,而泰山为小;莫寿于殇子,而彭祖为夭。"憨山德清《庄子内篇注》谓:"意谓若以有形而观有形,则大小、寿夭一定而不可易者。今若以大道而观有形,则秋毫虽小,而体合太虚;而太山有形,只太虚中拳石耳。故秋毫莫大,而太山为小也。殇子虽夭,而与无始同原;而彭祖乃无始中一物耳。故莫寿于殇子,而彭祖为夭也。若如此以道而观,则小者不小,而大者不大;夭者不夭,而寿者非寿矣。如此则天地同根,万物一体,何是非之有哉!"齐物论的本质在于指出世间一切有为法皆属虚妄梦幻,唯有道真实永恒。这句是说,世间人往往嘲笑庄子的齐物论,贪恋和追逐世间名利。

[四一九]扰扰尘劳役世途,谁从静地下工夫。五丁凿路真堪笑,[1]万里筑城[2]何太愚。土暖碧松生琥珀,潭寒青石长珊瑚。暮山隐约云零乱,一簇天开古画图。

[1]五丁：神话传说中的五个力士。《艺文类聚》卷七引扬雄《蜀王本纪》："天为蜀王生五丁力士，能献山，秦王(秦惠王)献美女与蜀王，蜀王遣五丁迎女。见一大蛇入山穴中，五丁并引蛇，山崩，秦五女皆上山，化为石。"

[2]万里筑城：指秦始皇修筑万里长城。参看《远庵僜禅师语录·颂古》："五丁凿路先亡蜀，万里筑城早丧秦。"

[四二〇]鼠肝虫臂从他化，[1]世上闲名岂足论。一火烧畲春采蕨，[2]半蓑披雨晓锄园。皂旗出塞将军贵，[3]金带趋朝宰相尊。田接东阡地西陌，何曾耕凿到儿孙。

【注释】

[1]鼠肝虫臂：《庄子·大宗师》："伟哉造化，又将奚以汝为，将奚以汝适，以汝为鼠肝乎？以汝为虫臂乎？"鼠肝、虫臂皆喻下句所谓"闲名"。

[2]烧畲(shē)：指用火种刀耕的方法来耕种土地。

[3]皂旗：黑旗。苏轼《祭常山回小猎》："青盖前头点皂旗，黄茅冈下出长围。"

[四二一]百年三万六千日，特地思量尘世间。铜雀已成身早殁，[1]玉门虽远愿生还。[2]斩蛟胆恶先忘水，逐鹿心狂岂见山。[3]何似白云最深处，老松枯石伴身闲。

【注释】

[1]铜雀：建安年间，曹操筑铜雀台，周围殿屋一百二十间，连接榱栋，侵彻云汉。铸大孔雀置于楼顶，舒翼奋尾，势若飞动，故名铜雀台。杜牧《赤壁怀古》："折戟沉沙铁未销，自将磨洗认前朝。东风不与周郎便，铜雀春深锁二乔。"

[2]"玉门"句：汉代班超驻守西域三十一年，垂暮上书汉皇曰："臣不敢望到酒泉郡，但愿生入玉门关。"

[3]忘水：《列子·黄帝篇》："善游者之数能也，忘水也。"见山：《五灯会元》卷十七青原惟信禅师语："老僧三十年前未参禅时，见山是山，见水是水。及至后来，亲见知识，有个入处，见山不是山，见水不是水。而今得个休歇处，依前见山只是山，见水只是水。"

[四二二]即今休去便休去，何事却求身后名。世乱孙吴谋略展，才高屈贾是非生。[1]沟中断木千年恨，海上乘槎万里情。[2]谁识枯禅凉夜月，松根一片石床平。

【注释】

[1]孙吴、屈贾：指孙武、吴起，著兵法，善于谋略；屈原、贾谊，才高志大而不得志。

[2]槎(chá)：木筏。乘槎：张华《博物志》卷十载：传说天河与海通，有人居海渚者，年年八月见有浮槎去来，不失期。此人乃立于槎上，乘之浮海而至天河，遇织女、牵牛。此人问此是何处，答曰："君还至蜀郡访严君平则知之。"后至蜀，君平曰："某年月日有客星犯牵牛宿。"正是此人到天河时。

[四二三]竹屋数声清磬断,隔溪疏雨遣斜晖。一机忘去是非尽,万法空来体用归。黄狖林中偷果去,[1]翠禽篱下引雏飞。有官有佛从人选,[2]独坐秋阶纳毳衣。[3]

【注释】

[1]狖(yòu):古书上说的一种猴,黄黑色,尾巴很长。

[2]"有官"句:《景德传灯录》卷十四载:偶一禅客问曰:"仁者何往?"曰:"选官去。"禅客曰:"选官何如选佛。"曰:"选佛当往何所?"禅客曰:"今江西马大师出世,是选佛之场。"

[3]毳衣:僧服的一种。《法苑珠林》卷一〇一:"衣中有四者:一粪扫衣;二毳衣;三衲衣;四三衣。"

雪峰山居诗[1]

【注释】

[1]释超宏，字如幻。惠安人，俗姓刘。明季诸生，顺治三年（1646）后削发于平山寺，参黄檗亘信弥受法。住福州雪峰，住持十三年，刀耕火种，讲说大义，道望蔚然。有《瘦松集》八卷，由其门人照拙编，收入文殊文化有限公司印行之《禅宗全书》第六十五册。本书所选雪峰山居诗，皆出于《瘦松集》。

山居用韵 (时在福州雪峰)

[四二四]觑破浮生事事阑，[1]优场何必强悲欢。[2]好来雪峤千峰里，[3]消受松风五月寒。有我有生应有患，[4]无心无易亦无难。寥寥此道如相委，一勺曹溪味可餐。[5]

【注释】

[1]觑（qù）：看。阑：将近，衰退。禅宗常用"觑破"二字警醒世人，要将世情放下。如《伏狮祇园禅师语录·新正警众》："了得凡心圣自圆，急参父母未生前。觑破本来一着子，山花流水共同欢。"

[2]优场：又称"俳优场"，演戏的场所。佛教认为，人的一生一世如同演戏，都只是在扮演一个角色，而非真实的自己，对

220

戏中的悲欢不必在意。

[3]峤(jiào)：山路。

[4]"有我"句：《老子》第十三章："吾所以有大患者，为吾有身；及吾无身，吾有何患？"《吹万禅师语录·示学人心病说》谓："从上诸病，皆是老僧一一害过底，都原只为有身，只为有我。《论语》云：'毋意、毋必、毋固、毋我。'《老子》云：'吾有大患，为吾有身，苟如无身，吾有何患？'《庄子》云：'吾丧我。'瞿昙云：'无我相，无人相、众生相、寿者相。'此古人治我之法也。"

[5]曹溪：参看憨山"旧游恍忽是前生"[三一一]诗注。

[四二五]覆雨翻云态未阑，背人讥诮向人欢。朱门豪贵熏天焰，破衲道流彻骨寒。蹭蹬三途错脚易，[1]奔忙百岁息心难。回光猛省甘枯淡，共采绿薇紫蕨餐。

【注释】

[1]蹭蹬(cèng dèng)：险阻难行貌，在此喻众生生死轮回之苦。三途：指畜生、饿鬼、地狱三种恶道。

山　居

[四二六]野性痴憨与世疏，年来偶得住山庐。松风谡谡寻常有，[1]荜户萧萧壁落虚。[2]坐拥敝裘寒月映，烧残榾柮冷灰余。[3]杨岐有语分明在，翻忆古人树下居。[4]

【注释】

[1]谡谡(sù sù)：挺拔有力的样子。

[2]箄(bì)：同"箅"，用荆条、竹子等编成的篱笆。

[3]榾柮：参看憨山"榾柮千年火"[三一五]诗注。

[4]"杨岐"两句：方会(996~1049)北宋临济宗杨岐派之祖，世称杨岐方会。参看《杨岐方会和尚语录》："'杨岐乍住屋壁疏，满床皆布雪真珠。缩却项，暗嗟吁。'良久云：'翻忆古人树下居。'"

[四二七]学道未能且学痴，长年兀兀任他嗤。[1]实无玄妙堪开口，只为劳生欲息机。[2]几见人情呈俊俏，不于世路受亏危。大名虽好居非易，[3]惟有痴呆尽可为。

【注释】

[1]兀兀：浑沌无知、痴呆不动的样子。《寒山诗》之二三四："兀兀过朝夕，都不别贤良。好恶总不识，犹如猪及羊。"

[2]息机：息灭机心。《楞严经》卷六："息机归寂然，诸幻成无性。"杜甫《将赴成都草堂途中有作先寄严郑公》诗之五："侧身天地更怀古，回首风尘甘息机。"

[3]"大名"句：隐用王定保《唐摭言·知己》典："白乐天初举，名未振，以歌诗谒顾况。况谑之曰：'长安百物贵，居大不易。'及读至《赋得原上草送友人》诗曰'野火烧不尽，春风吹又生'，况叹之曰：'有句如此，居天下有甚难！老夫前言戏之耳。'"

[四二八]世事年来冷似霜，谁能波挈入名场。[1]深林鸟语

222

山逾静,[2]绕屋梅花梦亦香。[3]淡淡虚空含万象,寥寥心地露孤光。[4]现成公案非今古,莫把聪明错较量。

【注释】

[1]波挈(qiè):全称为波波挈挈。波波:奔逐劳碌的样子;挈挈:孤独的样子。如《古庭禅师语录辑略》谓:"此事要具坚固久远之心,如枯木石头去,果如此,何生死不了,佛祖不超? 其或波波挈挈,大限到来,无本可据。"名场:追逐声名的场所,这里即指尘世间。

[2]"深林"句:王籍《入若耶溪》:"蝉噪林逾静,鸟鸣山更幽。"

[3]陆游《东园观梅》:"数苞冷蕊愁浑破,一寸残枝梦亦香。"

[4]孤光:孤迥之光,本指日月之光,佛教典籍常用来指心光。《憨休禅师语录》:"孤光迥迥映长空,一道清辉万古同。自是姮娥情未瞥,犹怜身在广寒宫。"

[四二九]苍崖孤峻与谁邻,眼底云霞日日新。地迥不来朝市客,天寒还有采樵人。足音空谷闻堪喜,笑语移时意更真。莫谓道人多泛爱,齐物观我无非亲。[1]

【注释】

[1]"齐物"出自《庄子》,参看栯堂"拟将黄叶止儿啼"[四一八]诗注。"观我"见于《易经·观》:"观我生,君子无咎。"蕅益《周易禅解》谓:"观我即是观民,所谓心佛众生三无差别。""无非亲"即万物一体,无有差别。

[四三〇]觅心不得自心安，[1]拈放由来各一端。若个场中来选佛，几人林下肯休官？[2]澄潭有月灵光净，心水无波性海宽。除却饥餐并闲睡，尘劳种种不相干。

【注释】

[1]"觅心"句：参看楠堂"我自将心与我安"[四一六]诗注。

[2]选佛：参看楠堂"竹屋数声清磬断"[四二三]诗注。这一联将"选佛"与"休官"相对，甚妙，言世间人无法放弃荣华富贵等种种追求，此与佛教根本宗旨相违背。

[四三一]出家皆道出人间，谁把心身尽放闲。妄想业成烦恼海，虚名障作是非关。片时暂息宁真歇，万境具空始大还。[1]我爱唐朝亮座主，翻身言下入西山。[2]

【注释】

[1]大还：大还即"大死"，彻底超脱生死轮回，回归本有佛性。如《庆忠铁壁机禅师语录》："非儒亦非道，非释亦非仙。各各本来真，究竟要人言。六根四大里，到处放光明。无心若大还，久矣号真人。"

[2]《景德传灯录》卷八载："亮主(洪州西山)，本蜀人也，颇讲经论。因参马祖，祖问曰：'见说座主大讲得经论，是否？'亮云：'不敢。'祖云：'将什么讲？'亮云：'将心讲。'祖云：'心如工伎儿，意如和伎者，争解讲得经。'亮抗声云：'心既讲不得，虚空莫讲得么？'祖云：'却是虚空讲得。'亮不肯，便出。将下阶，祖

召云:'座主。'亮回首,豁然大悟,礼拜。祖云:'遮钝根阿师,礼拜作么?'亮归寺告听众云:'某甲所讲经论,谓无人及得,今日被马大师一问,平生功夫冰释而已。'乃隐西山,更无消息。"

[四三二]云敛山空木落时,山堂腊尽冷风飔。[1]无人解听云门曲,[2]有兴还吟石屋诗。[3]明妙天真皆本具,语言道断合希夷。[4]纷纷尽向外境觅,若个还源契此机。

【注释】

[1]飔(sī),凉风。陶渊明《和胡西曹示顾贼曹》:"蕤宾五月中,清朝起南飔。"

[2]云门曲:云门曲原为我国古乐曲之名,曲调艰深,歌者难咏唱,闻者亦难以领受。云门宗祖云门文偃之家风,向来以难以理解著称,故借"云门曲"之名以喻之。耿延禧《圆悟佛果禅师语录序》:"师因频呼小玉之音与檀郎认得之音,然后大唱此音,不数德山歌,压倒云门曲。"

[3]石屋诗:即本书所录之石屋清珙禅师山居诸诗。

[4]希夷:参看贯休"心心心不住希夷"[○○八]诗注。

[四三三]无心于事自闲闲,竟日柴门不上关。一望芊眠平楚色,[1]千重霭杳夕阳山。黄花晚节殊堪赏,幽鸟倦飞亦解还。[2]凤昔交游多意气,何人肯到白云间。

【注释】

[1]芊眠:犹"芊绵",草木蔓衍丛生貌。谢朓《高松赋》:"既

芊眠于广隰,亦迢递于孤岭。"

[2]此联暗用陶渊明事典。黄花即菊花,陶渊明《读〈山海经〉十三首之四》:"黄花复朱实,食之寿命长。"《九日闲居》:"酒能祛百虑,菊为制颓龄。"韩琦《九日水阁》:"不羞老圃秋容淡,且看黄花晚节香。"陶渊明《归去来辞》:"云无心以出岫,鸟倦飞而知还。"

[四三四]霜华入鬓老相催,川上逝波去不回。[1]玩水寻山皆浪迹,匡徒领众又非才。[2]闲云作伴成宾主,明月无心自去来。莫笑山翁痴懒甚,都缘万虑久成灰。

【注释】

[1]"川上逝波"句:参看贯休"岚嫩风轻似碧纱"[〇一四]诗注。

[2]匡徒领众:指导、纠正弟子,带领大众修行。这一句自谦自己没有才能,勉力为之。

[四三五]悬崖回岭郁苍苍,年老心休合退藏。[1]凡圣不窥真隐密,根尘迥脱始超方。[2]竖拳行棒成狼藉,[3]山月松风已演扬。古道有人能跨脚,草鞋浆水一齐偿。[4]

【注释】

[1]退藏:退归隐藏,不露行迹,亦谓哲理精微深邃,包容万物。《易·系辞上》:"圣人以此洗心,退藏于密,吉凶与民同患,神以知来,知以藏往。"

[2]根尘:佛教经典谓眼、耳、鼻、舌、身、意为六根,色、声、香、

226

味、触、法为六尘。色之所依而能取境者谓之根;根之所取者,谓之尘,合称根尘。《楞严经》卷五:"根尘同源,缚脱无二。"

[3]竖拳行棒:禅门常用一些动作性语言来示法,所谓扬眉瞬目,竖拳棒喝等等皆是。这一句是说,要将这些禅门公案也一齐放下。

[4]鞵:同"鞋"。

[四三六]旁岩结构似巢栖,小屋平临群木齐。樵径入林时啸虎,人烟隔坞远闻鸡。却忘住处孤峰顶,只觉看来万岭低。钵袋高悬老岁月,不将白棒撞东西。[1]

【注释】

[1]白棒:亦作"白梧",大棍、大杖。唐代德山禅师示众曰:"道得也三十棒,道不得也三十棒。"当人问为何道得也要被打三十棒时,"师便打";又曰:"德山老汉只凭目前一个白棒,佛来也打,祖来也打。"其禅法峻烈,被人称为"德山棒"。这一句是说,自己只想隐居山林,安稳度日,连"德山棒"之类的禅门公案也不去管它。

[四三七]庵居虽小内还宽,容膝由来尽易安。[1]抖擞胸中无一物,高瞑日上已三竿。乱抽书帙消闲暑,深堑地垆御岁寒。耐久知交松柏在,青青不改伴衰残。

【注释】
[1]陶渊明《归去来辞》:"审容膝之易安。"

[四三八]萧然四壁度霜晨,瘦骨还堪耐苦辛。破衲褴毵刚见肘,荒厨冷落颇生尘。荣公带索偏行乐,[1]卫尉多金却祸身。[2]古往今来谁达士,尚平知富不如贫。[3]

【注释】

[1]"荣公"句:《列子·天瑞篇》:"孔子游于太山,见荣启期行乎郕之野,鹿裘带索,鼓琴而歌。孔子问曰:'先生所以乐,何也?'对曰:'吾乐甚多:天生万物,唯人为贵。而吾得为人,是一乐也。男女之别,男尊女卑,故以男为贵;吾既得为男矣,是二乐也。人生有不见日月、不免襁褓者,吾既已行年九十矣,是三乐也。贫者士之常也,死者人之终也,处常得终,当何忧哉?'孔子曰:'善乎!能自宽者也。'"

[2]卫尉:卫尉指石崇,曾拜官卫尉,家中富豪,后被杀,参看梅堂"玉堂银烛笙歌夜"[一七五]诗注。

[3]"尚平"句:尚平:东汉人尚长,据《高士传·尚长传》载,尚平隐居不仕,读《易》至"损""益"卦,喟然叹曰:"吾以知富不如贫,贵不如贱,但未知死何如生?"

[四三九]曷来结屋此岩栖,[1]复岭烟深草木迷。野老迹疏那送供,邻僧兴发有留题。[2]素琴挂壁无腔调,铷斧登山谁挈携。[3]冷眼一双闲眺望,归鸦乱噪夕阳西。

【注释】

[1]曷:同"何"。

[2]留题：作诗、题字留念。

[3]铻(tú)，钝。挈(qiè)携：提携。曾巩《上欧阳学士第二书》："道中来见行有操瓢囊、负任挽车、挈携老弱而东者。"

[四四〇]动念纷纭静落空，不依动静体玄同。[1]片云淡泞青天表，[2]万象尽归古镜中。佛说犹如标指月，[3]僧流漫自诤幡风。[4]还源一句千差断，刹刹尘尘悉可通。

【注释】

[1]"动念"两句：是说动与静都不可执着，离开动静相才能体会到大道的玄妙。参看《博山无异大师语录》："道远乎哉？触事而真；圣远乎哉？体之则灵。见闻觉知是载道之器，道不即见闻觉知，亦不离见闻觉知。动静起止，是圣所行处，圣不即动静起止，亦不离动静起止。"

[2]泞(nìng)：止于空中。

[3]"佛说"句：《楞严经》卷二："如人以手指月示人，彼人因指，当应看月，若复观指，以为月体，此人岂唯亡失月轮，亦亡其指。"这里，"指"比喻教义，"月"比喻真如实相。佛教认为，佛经一切所说皆是指导人们去认知真理的工具，而非真理本身，如果执着于佛经的言句，反而失去了对真理的认知。

[4]诤幡风：参看石屋"入此门来学此宗"诗注。

[四四一]出保社复入丛林，[1]天涯踏遍漫搜寻。未能有念归无念，道是无心却有心。日上岩扉光烁烁，烟笼野寺翠沉沉。晨昏眼底长如此，一任山中岁月深。

【注释】

[1]保社:古代乡村的一种民间组织,因依保而立,故称。这一句体现出禅师不完全与世隔绝,常出入民间的精神。

[四四二]山田堉瘠禾苗稀,[1]况复年深稿事亏。竹篦徒言堪束肚,[2]松花那见可疗饥。邨中乞米来升斗,厨下烧锅作粥糜。檀信脂膏非易受,[3]应知一粒重须弥。[4]

【注释】

[1]堉(què):土地贫瘠。

[2]竹篦句:参看石屋“我本禅宗不会禅”诗注。

[3]檀信:“檀”为梵语“檀那(Danna)”的简称,意为“布施”。檀信为施主之意。

[4]应知句:僧人接受在家施主的布施,应该精进修道、讲经说法以图回报,否则会堕入地狱。参看石屋“大道从来无盛衰”诗注。

[四四三]寂寂空山道者家,自甘苦淡薄纷华。强狗世态真无奈,[1]须信吾生亦有涯。万事灰心同木石,一丘隐迹混龙蛇。每因月出闲舒啸,惊起林间夜宿鸦。

【注释】

[1]狗(xùn):同“徇”(xùn),曲从。

[四四四]祖庭秋晚道风衰,虚解虽多实履亏。[1]慕宠希荣闲打哄,寻枝摘叶太支离。古人德厚同愚讷,后辈心高惊险巇。[2]无力匡扶增感叹,肚皮深不合时宜。[3]

【注释】

[1]实履:行为、实践。这句是说,人的言行难以一致。

[2]巇(xī):险。险巇:这里指人心险恶。

[3]"肚皮"句:借用苏轼的自嘲语。《东坡诗话》:"东坡侍儿朝云,姓王氏,年十二。侍坡公初,不识字,久而能诗,字学东坡手迹。一日,东坡退朝,食罢,扪腹徐行。问众侍儿曰:'汝辈且道腹中何所有?'或云忠孝,或云文章,或云满腹珠玑,或云珍羞百味。东坡皆曰:'非也。'独朝云摸其腹曰:'一肚皮不合时宜。'东坡捧腹大笑。"

[四四五]岩窦藏身称野情,不贪利养与声名。筠松许为知己,泉石招邀作主盟。世事觑来真似梦,是心歇去便无营。笠庵钵田木侍者,将就挨排过此生。[1]

【注释】

[1]挨排:依次排列,在此指按照自然法则随缘生活,不作安排。

和栯堂禅师山居(四十首)

余迟暮山居,眠食外无一事。偶案头有栯堂禅师山居诗,遂步韵成篇如其数,皆信口浅率之谈,若律以诗人体格,则风雅委地矣。倘初心入道者,偶尘听览,譬之驴鸣狗嗥,蚯蚓蛤蟆,助其发机。或有少分不则,则竟付丙丁童子,充作纸烬,无不可耳。

[四四六]岩居环堵没蒿藜,万事任缘那强为。梧岭云深闲气象,昆冈玉韫泯瑕疵。尽夸宗悫乘风壮,[1]宁信杨朱哭路歧。[2]我笑绮黄轻一出,晚年却负商山芝。[3]

【注释】

[1]"尽夸"句:《宋书·宗悫传》:"(宗)悫少时,(宗)炳问其志。悫答曰:'愿乘长风破万里浪。'"常用来代表对现世人生怀有远大志向和抱负。

[2]"宁信"句:《荀子·王霸》:"杨朱哭衢途曰:'此夫过举跬步而觉跌千里者夫!'哀哭之。"谓在十字路口错走半步,到觉悟后就已经差之千里了,为此而哭泣。常用来表示对现世人生的怀疑、悲观情绪。这两句是说,大家都赞赏宗悫的抱负远大,我却欣赏杨朱对人生的那种怀疑态度。

[3]绮黄:汉初商山四皓中之绮里季、夏黄公的合称,指代商山四皓。陶潜《饮酒》诗之六:"咄咄俗中愚,且当从黄绮。"这两句是说:我嘲笑商山四皓在晚年还轻易出山,表达自己完全忘怀世事,甘心归隐的志向。参看栴堂"自是不闲闲便得"诗注。

[四四七]千丈岩头自在栖,凭栏下瞰绕清溪。静中放浪形

232

骸外，老去痴顽宠辱齐。扶杖行穿林曲折，采薇踏遍涧东西。无劳楚国狂歌凤，[1]已似尸乡老祝鸡。[2]

【注释】

[1]"无劳"句：《论语·微子》："楚狂接舆歌而过孔子曰：'凤兮凤兮，何德之衰！'"邢昺疏："接舆，楚人，姓陆名通，字接舆也。昭王时，政令无常，乃披发佯狂不仕，时人谓之楚狂也。"后常用为典，用为狂士的通称。

[2]"已似"句：尸乡为古地名，又名西亳，在今河南偃师县。《列仙传·祝鸡翁》："祝鸡翁者，洛人也。居尸乡北山下，养鸡百余年，鸡有千余头，皆立名字……欲引呼名，即依呼而至。"后借指隐者之所居。

[四四八]年深老屋颇欹斜，罗列千峰富可夸。恰好幽栖随鹿豕，由来圣道一龙蛇。休拈大藏止啼叶，[1]莫䁖虚空捏目花。[2]于事无心心无事，天然佛是老丹霞。[3]

【注释】

[1]"休拈"句：参看楠堂"拟将黄叶止儿啼"[四一八]诗注。

[2]"莫䁖"句：参看贯休"岚嫩风轻似碧纱"[〇一四]诗注。

[3]"天然佛"句：唐代禅僧丹霞天然(739~824)，驻锡南阳丹霞山，于慧林寺遇天大寒，取木佛烧火向，院主诃曰："何得烧我木佛？"师以杖子拨灰曰："吾烧取舍利。"主曰："木佛何有舍利？"师曰："既无舍利，更取两尊烧。"这两句意为：以丹霞禅师那种"于事无心心无事"的心态生活，才是真正的"天然佛"。

[四四九]放下尽教都放下,当人只在绝狐疑。[1]湫倾岳倒何曾动,[2]石火电光也较迟。扣角三生缘恍惚,[3]临川千古逝如斯。蓦然梦破瞪双眼,周蝶原来却是谁？[4]

【注释】

[1]狐疑:猜疑,怀疑。《楚辞·离骚》:"欲从灵氛之吉占兮,心犹豫而狐疑。"

[2]"湫倾"句:湫(qiū):水潭,湫倾岳倒指山海颠倒,沧桑巨变。这句是说,从事相上看,自然界无时不处在变动之中,但从实相本体看是如如不动。

[3]"扣角"句:袁郊《甘泽谣·圆观》载:唐代李源与僧圆观友善,同游三峡,见妇人引汲,圆观说:"其中孕妇姓王者,是某托身之所。"更约十二年后中秋月夜,相会于杭州天竺寺外。是夕圆观果殁,而孕妇产。及期,源赴约,闻牧童歌扣牛角歌《竹枝词》:"三生石上旧精魂,赏月吟风不要论。惭愧情人远相访,此身虽异性长存。"源因知牧童即圆观之后身。

[4]"周蝶"句:《庄子·齐物论》:"昔者庄周梦为蝴蝶,栩栩然蝴蝶也;自喻适志与,不知周也;俄然觉,则蘧蘧然周也。"憨山德清《庄子内篇注》谓:"言梦觉之不同,但一周耳。不知蝴蝶为周,周为蝴蝶？此处定有分晓,要人看破,则视死生如梦觉。万物一观,自无是非之辩矣。"

[四五〇]淲淲寒泉石上流,[1]软蒲趺坐自休休。野花匝地铺纯锦,[2]新月悬空挂碧钩。金谷园荒谁作主？[3]玉关人老为封

234

侯。[4]试讲冷眼闲评论,几个英雄会到头?

【注释】

[1]滮(biāo):水流动的样子。

[2]匝:围绕、遍布。

[3]"金谷"句:参看楠堂"玉堂银烛笙歌夜"[一七五]诗注。

[4]"玉关"句:指汉代李广。李广部下因军功而封侯的人很多,而李广本人抗击匈奴,战功显赫,却未被封侯。这里指对世间功名利禄的追求。

[四五一]寄言世上聪明子,底事纷纷役利名。若个不为蒿里客,[1]阿谁能免铁围城?[2]息机野老甘抱瓮,[3]乐道高人耻割烹。放旷随缘忘管带,[4]应知宝地坦然平。

【注释】

[1]蒿里客:指死亡。蒿里本为山名,相传在泰山之南,为死者葬所,后泛指墓地,也指阴间。

[2]铁围城:即铁围山,佛教认为南赡部洲等四大部洲之外,有铁围山,周匝如轮,故名。凡未能超脱六道轮回的人皆不能出此铁围山。

[3]"息机"句:《庄子·天地》载:孔子的学生子贡,在游楚返晋过汉阴时,见一位老人一次又一次地抱着瓮去浇菜,"搰搰然用力甚多而见功寡",就建议他用机械汲水。老人不愿意,并且说:这样做,为人就会有机心,"吾非不知,羞而不为也"。

[4]管带:参看憨山"此性元无着"[三〇一]诗注。

[四五二]道人眼底由来别，百尺楼高更上层。窗牖虚明孤嶂月，门庭清冷一潭冰。贞松长自阅芳槿，[1]斥鷃任它笑大鹏。[2]息得心来净洒洒，不将闲事蹙眉棱。

【注释】

[1]"贞松"句：参看刘希夷《公子吟》："愿作贞松千岁古，谁论芳槿一朝新。"白居易《放言》之五："松树千年终是朽，槿花一日亦为荣。"则反其言而言。

[2]"斥鷃"句：《庄子·逍遥游》：有鸟焉，其名为鹏，背若太山，翼若垂天之云，抟扶摇羊角而上者九万里，绝云气，负青天，然后图南，且适南冥也。斥鷃笑之曰："彼且奚适也。我腾跃而上，不过数仞而下，翱翔蓬蒿之间，此亦飞之至也，而彼且奚适也。"

[四五三]不悟真空休歇去，升沉六道太疲劳。骅骝神骏驰鞭影，[1]鹘鹞凌空迅羽毛。[2]长啸一声山月白，静闻众窍冷风号。此时此意无人共，只为孤峰立处高。

【注释】

[1]骅骝：原指周穆王八骏之一，后泛指骏马。马鞭的影子。《景德传灯录·天台丰干禅师》："外道礼拜云：'善哉世尊，大慈大悲开我迷云，令我得入。'外道去已。阿难问佛云：'外道以何所证而言得入。'佛云：'如世间良马，见鞭影而行。'"

[2]鹘鹞(gǔ yào)：鹘为一种大鸟，飞行速度很快，亦称为

隼。鹘为一种凶猛的鸟,样子像鹰,亦称鹘鹰。这两句承上句"升沉六道太疲劳"而来,以骅骝、鹘鹞代指六道众生,是说众生皆追寻影子,依赖羽毛而行事,其实皆是虚幻不实的。

[四五四]万法本闲休拟议,世人道是强施为。只缘病眼生花眚,[1]何事无疮剜肉医。[2]平地畏途九折坂,安身妙诀六藏龟。[3]寒山风汉无思算,镇日长年兀兀痴。

【注释】

[1]"只缘"句:参看贯休"岚嫩风轻似碧纱"[〇一四]诗注。

[2]"何事"句:聂夷中《伤田家》:"二月卖新丝,五月粜新谷。医得眼前疮,剜却心头肉。"后因以"剜肉补疮"或"剜肉医疮"比喻用有害手段救眼前之急,不计后果。此诗更进一层,谓从空性角度看,疮本来亦无,人们却仍剜肉医疮,愚蠢之极。

[3]六藏龟:《法句譬喻经·心意品》第十一:"有一水狗饥行求食,与龟相逢,便欲啖龟,龟缩其头尾,及其四脚,藏于甲中,不能得啖。化沙门答曰:'吾念世人不如此龟,不知无常,放恣六情,外魔得便,形坏神去,生死无端,轮转五道,苦恼百千,皆意所造。宜自勉励,求灭度安。'于是化沙门即说偈言:'……藏六如龟,防意如城。'"《出曜经·泥洹品》第二十七:"犹彼神龟,畏丧身命,设见怨仇,藏六甲里,内自思惟:我若不藏六者,便为猎者所擒。"

[四五五]此身毕竟似浮沤,逆顺情忘孰喜忧？宿雾洗清山矗矗,冷风敲戛竹修修。伤心何事怜鹥鹒,[1]适志无多似莺鸠。[2]

237

终日岑楼闲得得,翛然谁是我同流?[3]

【注释】

[1]鶗鴂:即杜鹃鸟。传说杜鹃为蜀帝杜宇死后所化之鸟,为故国啼血。杜甫《杜鹃行》:"古时杜宇称望帝,魂作杜鹃何微细。"

[2]莺鸠:莺即黄莺,鸠即斑鸠。这两句是说,人类所视为"实有"的一切本来虚幻不实,所谓远大的志向抱负,其实与鸟兽没有多少区别。

[3]翛(xiāo)然:自由自在、无拘无束的样子。

[四五六]死生呼吸事非常,[1]转瞬荣华莫较量。麟阁丹青空入画,[2]雀台遗令竟分香。[3]堪嗤架海思鞭石,[4]谁识坚冰在履霜。千古高风羊叔子,残碑坠泪忆襄阳。[5]

【注释】

[1]死生呼吸:谓人的生命在呼吸之间,一息不来,即成隔世,怎能不生起警醒之念。

[2]"麟阁"句:麒麟阁为汉代阁名,在未央宫中。汉宣帝时曾绘霍光等十一名功臣像于阁上, 以表扬其功绩。后代仿效之,如唐太宗命建凌烟阁,绘二十四功臣像于阁中。

[3]据陆机《吊魏武帝文》序载:东汉末,曹操造铜雀台,临终前吩咐诸妾:"汝等时时登铜雀台,望吾西陵墓田。"又云:"余香可分与诸夫人。诸舍中无为,学作履组卖也。"后以"分香卖履"喻临死不忘妻妾。

[4]"堪嗤"句:传说秦始皇欲渡东海观日出,有神鞭石作桥,石头行动不迅速,神人用鞭子抽得石头流血(见《三齐略》)。这一句是说如秦始皇那种所谓建立了世间伟业、还得"神人"相助的君王,他们的功业又能延续多久? 其实皆是"堪嗤"的。

[5]"千古高风"两句:羊祜(hù),西晋名将、文学家,字叔子。西晋以羊祜生前所献谋略用兵伐吴,两年后,吴平,晋武帝认为"此羊太傅之功也"。祜博学能文,著有《老子传》等,虽出身士族,但力行节俭,常将禄俸散给族人、军士,家无余财。襄阳百姓在岘山立祠建碑纪念羊祜。道途相望,相率流涕,杜预因称为"堕泪碑"。

[四五七]宿云深处碧重重,薛晕苔花错杂红。衲客无心闲洗钵,英雄末路叹藏弓。[1]松间鹤翥摩清汉,叶底蝉鸣闹晚风。安得携来铁绰板,高歌坡老大江东。[2]

【注释】

[1]《史记·越世家》载:勾践灭吴后,"范蠡遂去,自齐遗大夫(文)种书曰:'飞鸟尽,良弓藏;狡兔死,走狗烹。越王为人长颈鸟喙,可与共患难,不可与共乐。子何不去?'"

[2]据俞文豹《吹剑录》所记:东坡在玉堂日,有幕士善歌,因问:"我词何如柳七?"对曰:"柳郎中词,只合十七八女郎,执红牙板,歌'杨柳岸,晓风残月'。学士词,须关西大汉,铜琵琶、铁绰板,唱'大江东去'。"东坡为之绝倒。

[四五八]夕阳烟霭自村村,澹抹浓拖草树曛。静里返观闲

妥贴,尘中拘斗苦纷纭。清溪浅水看鱼队,竹杖芒鞋尾鹿群。世厌君平真已久,何人相访破重云。[1]

【注释】

[1]君平:汉高士严遵的字。严遵隐居不仕,曾卖卜于成都。《汉书·王贡两龚鲍传序》:"君平卜筮于成都市……裁日阅数人,得百钱足自养,则闭肆下帘而授《老子》。"

[四五九]淡淡清风送晚凉,木樨花发满山房。六窗寂照无余物,[1]一念寒灰自息狂。选佛选官俱是梦,[2]呼牛呼马两相忘。[3]觅心不得安心竟,[4]渴鹿何须趁焰阳。[5]

【注释】

[1]六窗:指眼、耳、鼻、舌、身、意六根,众生通过此六根与外在世界接触,故喻为窗。贯休《酬王相公见赠》:"九德陶镕空有迹,六窗清净始通禅。"寂照:寂,寂静之意;照,照鉴之意。智之本体为空寂,有观照之作用,但照而常寂,寂而常照,如镜照物,不留影像,故曰"无余物"。

[2]"选佛"句:参看栴堂"竹屋数声清磬断"[四三〇]诗注。

[3]《庄子·天道》:"昔者子呼我牛也,而谓之牛;呼我马也,而谓之马。"后以"呼牛呼马"指毁誉由人,悉听自然。

[4]"觅心"句:参看栴堂"我自将心与我安"[四三〇]诗注。

[5]"渴鹿"句:求那跋陀罗译《楞伽经》卷二:"譬如群鹿,为渴所逼。见春时焰,而作水想。迷乱驰趣,不知非水。"《摩诃止观》卷一下:"集既即空,不应如彼渴鹿,驰逐扬焰。苦既即空,

不应如彼痴猴,捉水中月。"憨山德清《大悲观音像赞》:"嗟哉
人无智慧光,犹如白日酗酒卧,种种梦想恐畏途,怕怖憧惶不
能脱,驱驰逃遁不可得。又如渴鹿奔阳焰,愈奔愈渴心力疲,犹
不自知在梦想,惺眼观者悲愍生。"

[四六〇]岩头桂老属谁栽?镇日摩挲定几回。[1]茅屋椽疏云
补缀,竹窗纸破月窥来。尘劳孰肯回痴梦,邱壑还堪长圣胎。[2]
休暇万机空索索,冰河焰发爆寒灰。

【注释】

[1]摩挲:用手轻轻反复抚摸。

[2]圣胎:圣人之胎。《佛本行集经·树下诞圣品上》:"如我
所知,我女摩耶王大夫人怀藏圣胎,威德既大,若彼产出,我女
命短,不久必终。"后指修炼成圣之所。《缁门警训》卷六:"丛林
之下,道业惟新,上上之机一生取办,中流之士长养圣胎。至如
未悟心源,时中亦不虚弃。是真僧宝,为世福因。"

[四六一]披缁未必便超尘,[1]正果还须属正因。不遇驱牛夺
食手,[2]多逢买椟弃珠人。[3]六根清净湫湫冷,万象森罗色色新。
正眼开时全体露,[4]虚空消陨浩无垠。

【注释】

[1]披缁:披上僧服。古代僧服为黑色,称为缁衣。刘商《题
禅居废寺》:"凋残精舍在,连步访缁衣。"

[2]"不遇"句:《古尊宿语录》卷二十二:"古人道:夫为善知

识，须是驱耕夫之牛，夺饥人之食。驱耕夫之牛，令他苗稼滋盛；夺饥人之食，令他永绝饥虚。"这里指斩断人的生死根本。

[3]"多逢"句：《韩非子·外储说左上》："楚人有卖其珠于郑者，为木兰之柜，薰以桂椒，缀以珠玉，饰以玫瑰，辑以羽翠，郑人买其椟而还其珠，此可谓善卖椟矣，未可谓善鬻珠也。"后以"买椟还珠"喻舍本逐末。

[4]全体露：指宇宙之真相顿然展现，无丝毫隐藏。《真歇清了禅师语录》："万象既泯，全体露现。正当恁么时，说似一物即不中，唤作一物即不可。"

[四六二]寂历空山不闭门，一声清磬自朝昏。架棚引荳随生意，笕水穿厨定识源。[1]说士立谈酬白璧，倖人游冶逐金丸。[2]争如道者闲无事，睡起绳床月满轩。

【注释】
[1]笕(jiǎn)：连接起来引水用的长竹管。
[2]说士：游说之士。倖人：帝王宠幸的佞人。这里指世间那些为名利而奔走的众生。

[四六三]此事分明不外求，脚跟未动豁重楼。漫施黄叶三顿棒，[1]好划天龙一指头。[2]眨眼青天翻过鹞，无心露地已忘牛。[3]欲知万法归何处，喝下千江水逆流。

【注释】
[1]黄叶：参看楠堂"拟将黄叶止儿啼"[四一八]诗注。三顿

棒：所谓"棒喝"为禅宗祖师接化弟子之方式。禅家宗匠接引学人时，为杜绝其虚妄思惟或考验其悟境，或用棒打，或大喝一声，以暗示与启悟对方。相传棒之施用，始于唐代德山宣鉴与黄檗希运；喝之施用，始于临济义玄。以德山善用棒，临济善用喝，故有"德山棒，临济喝"之称。

[2]"好划"句："一指禅"为禅宗公案名。又作俱胝一指、俱胝竖指、一指头禅。据《五灯会元》卷四载，宋代婺州金华山俱胝和尚以竖立一指作为化导学人之机法，世称之"一指禅"。俱胝和尚初住庵时，因一尼之三问而不知应答，遂立志弃庵，往诸方参寻，后逢山神告示，得遇天龙和尚，天龙以一指示之，师当下大悟。从此，凡有参学僧到，师皆竖一指以对。当其临终时，谓众曰："吾得天龙一指头禅，一生用不尽。"

[3]忘牛："十牛图"乃宋代禅僧廓庵师远借"牧牛"的十个阶段表示修行过程的十种次第，其中第七阶段为"忘牛存人"，系比喻修行到达圆熟、物我一如、无事安闲之境地。《十牛图颂》谓："骑牛已得到家山，牛也空兮人也闲。红日三竿犹作梦，鞭绳空顿草堂间。"

[四六四]生死海中没复回，因循流浪可胜哀。菩提有种仍萎谢，烦恼无端竟结胎。[1]好向清凉地歇脚，莫将名利酒添杯。分明举似知音者，扑鼻香生雪后梅。[2]

【注释】

[1]这几句描述流浪于生死轮回中的众生的境况。众生心性虽然皆为菩提种子，但是由于久远劫来不知修道，此种子已

萎谢，故导致烦恼丛生。

[2]希运《黄檗断际禅师宛陵录》偈："不是一番寒彻骨，争得梅花扑鼻香？"指出彻底摆脱无始以来无明烦恼根性，需要刻苦的修行。

[四六五]匝匝芳林漠漠烟，茅茨四壁但萧然。烧畬播谷占晴雨，掘地栽松忘岁年。璞剖只堪资敌国，[1]珠沉好自媚重渊。[2]寄言晋代谢康乐，心杂无烦种白莲。[3]

【注释】

[1] 春秋时楚人卞和在山中得一块璞玉，献给楚厉王、武王，王不识玉反断其左足和右足。到文王时卞和抱玉哭于荆山下，王使人剖璞，果真得到宝玉，名之谓"和氏璧"。但此和氏璧，在战国时代也只能成为秦赵相争的工具，见《史记·蔺相如列传》。这一句是说，世人以为是宝物者，其实皆非宝物。

[2]包恢《马上口占感梅感事二首》："上对玉辉山，下临珠媚渊。"

[3]谢康乐：东晋诗人谢灵运。无烦：不用。东晋高僧慧远在庐山建白莲社，倡净土法门。据《东林十八高贤传·不入社诸贤传·谢灵运传》："灵运尝求入（白莲）社，远公以其心杂而止之。"这一句是说，欲求净土，须先净其心。

[四六六]古道霾云一径微，颇同惠约在山茨。花时好鸟春声闹，月下寒蛩砌响悲。人叹岩栖真苦淡，我怜世路太欹危。[1]无弦独抚凭谁赏？[2]欲把黄金铸子期。[3]

【注释】

[1]欹危:倾斜危险貌。陆游《永秋》:"小彴欹危度,邻园曲折通。"这一句是说人世险恶,众生充满邪知邪见,比岩栖更加危险。

[2]"无弦"句:萧统《陶靖节传》:"渊明不解音律,而蓄无弦琴一张,每酒适,辄抚弄以寄其意。"后世禅师常以"无弦琴"喻难以言传的大道。如《景德传灯录》卷二十:"无弦琴韵流沙界,清和普应大千机。"《了庵和尚语录》卷六:"一曲两曲无弦琴。天老地老谁知音?"

[3]"欲把"句:《吕氏春秋·本味》:"伯牙鼓琴,钟子期听之。方鼓琴而志在太山。钟子期曰:'善哉乎鼓琴,巍巍乎若太山。'少选之间,而志在流水。钟子期又曰:'善哉乎鼓琴,汤汤乎若流水。'钟子期死,伯牙破琴绝弦,终身不复鼓琴,以为世无足复为鼓琴者。"这里用钟子期喻能够明了自己志向的知音者。《松隐唯庵然和尚语录·古音歌为东阳谐长老赋》:"羲皇之先有一曲,音韵岂落平平仄。弹来不在十指端,屋角松风相仿佛。非丝竹兮非笙簧,非角羽兮非宫商。高山流水和不得,铿金戛玉声琅琅。极升沉之源,彻离微之根。众乐百千,徒劳竞奏;师子一弦,聊堪比伦。有眼者觑之不见,无耳者则乃亲闻。知音更有知音知,知音何独钟子期!"

[四六七]蜗角利名抵死争,[1]何分孤竹与东陵?[2]纵然精卫还填海,[3]争奈金乌不系绳。[4]百岁生涯几两屐,千山伴侣一枝藤。涅槃生死浑闲事,取舍情忘绝爱憎。[5]

【注释】

[1]"蜗角"句:《庄子·则阳》:"有国于蜗之左角者,曰触氏;有国于蜗之右角者,曰蛮氏。时相与争地而战,伏尸数万,逐北,旬有五日而后反。"

[2]"何分"句:《庄子·让王》:"昔周之兴,有士二人,处于孤竹,曰伯夷、叔齐。"后遂用"孤竹"借指伯夷、叔齐。《庄子·骈拇》:"伯夷死名于首阳之下,盗跖死利于东陵之上。二人者,所死不同,其于残生伤性,均也,奚必伯夷之是而盗跖之非乎!"后因以"东陵"代称跖。这一句用庄子齐物论思想,指出世间所谓善恶等观念其实也是虚幻,皆没有离开名利二字。

[3]"纵然"句:《山海经·北山经》:"发鸠之山,其上多柘木。有鸟焉,其状如乌,文首、白喙、赤足,名曰精卫,其鸣自佼,是炎帝之少女,名曰女娃。女娃游于东海,溺而不返,故为精卫,常衔西山之木石,以堙于东海。"后多用以比喻有仇恨而志在必报,或不畏艰难、奋斗不懈的人。

[4]"争奈"句:古代神话传说太阳中有三足乌,因用为太阳的代称。刘桢《清虑赋》:"玉树翠叶,上栖金乌。"这两句是说,尽管精卫填海的志向非常高远,但在漫漫无尽的宇宙时间长河中,那些恩怨情仇显得多么微不足道。

[5]"涅槃"两句:点明主旨,将爱憎取舍之心一齐放下,连涅槃、生死的概念也不复存在,这才是觉悟的境界。

[四六八]一钵随缘任去留,饥餐困睡外何求。[1]日升月坠无停晷,木落山空始觉秋。露草人希百岁寿,繁华蜃结片时楼。[2]

246

樊笼跳出抽身蚤,[3]不用生封万户侯。

【注释】

[1]"饥餐"句:用禅宗常用的话头。《景德传灯录》卷六马祖道一:问:"和尚修道,还用功否?"师曰:"用功。"曰:"如何用功?"师曰:"饥来吃饭,困来即眠。"曰:"一切人总如是,同师用功否?"师曰:"不同。"曰:"何故不同?"师曰:"他吃饭时不肯吃饭,百种须索;睡时不肯睡,千般计校,所以不同也。"

[2]"繁华"句:古人谓蜃气变幻成的楼阁,谓之蜃楼,佛教用以指虚幻不实的境界。这一句是说,世人以为"实有"而孜孜追求的一切其实皆如海市蜃楼。

[3]蚤:同"早"。

[四六九]不知世界许多宽,痴子争贪火宅安。[1]可是陶朱终去越,[2]漫夸韩信正登坛。[3]身闲作伴乌藤杖,客至相看老篛冠。[4]红线一丝绊不断,庞公早与说难难。[5]

【注释】

[1]火宅:参看憨山"回看五浊气氤氲"[三〇五]诗注。

[2]陶朱:即陶朱公,春秋时越国大夫范蠡的别称。蠡既佐越王勾践灭吴,以越王不可共安乐,弃官远去,居于陶,称朱公,以经商致巨富。

[3]韩信:西汉将领,曾辅佐刘邦平楚建汉。楚汉战争结束后,被解除兵权,后被吕后设计诱杀。《史记·淮阴侯列传》:"何(萧何)曰:'王素慢无礼,今拜大将如呼小儿耳,此乃信所以去

也。王必欲拜之，择良日，斋戒，设坛场，具礼，乃可耳。'王许之。诸将皆喜，人人各自以为得大将。至拜大将，乃韩信也，一军皆惊。"后因以"韩信坛"泛指军中拜将帅的高台。这两句是说，如陶朱公、韩信等世间功名富贵，其实皆是不可恃的。

[4]箨(tuò)：竹笋上的皮。箨冠即竹冠。

[5]"庞公"句：《庞居士语录》载："居士一日在茅庐里坐，蓦忽云：'难！难！难！十硕油麻树上摊。'庞婆云：'易！易！易！如下眠床脚踏地。'灵照云：'也不难，也不易，百草头上祖师意。'"《大慧普觉禅师法语》卷二十："庞居士一日在草庵中独坐，蓦地云：'难！难！十硕油麻树上摊。'庞婆闻得接声云：'易！易！百草头上祖师意。'女子灵照云：'也不难，也不易，饥来吃饭困来睡。'妙喜曰：'此三人同行不同步，同得不同失。若以心意识搏量卜度，非独不见三人落著处，十二时中亦自昧却自己本地风光，不见本来面目，未免被难易不难易牵挽，不得自在。'"

[四七〇]问我住山何所事？寻常有口欲忘言。由来的旨无多子，方便权开有二门。[1]好把绳缰曳水牯，[2]莫将捉放弄心猿。[3]等闲踏断曹溪路，万派千江总一源。

【注释】

[1]"方便"句：中国大乘佛教将如来藏一心分为真如门与生灭门，或将一切法分为真谛、俗谛二门。这两句是说，佛法大道只有一个，即所谓"不二法门"，但为了度化众生的需要，而分出二门，这是一种方便权宜。

[2]"好把"句:禅宗常以牧牛喻降伏妄心,如《景德传灯录》卷三十因南泉禅师语:"三十年看一头水牯牛,若犯他人苗稼,摘鼻拽回。如今变成露地白牛,裸裸地放他不肯去。"

[3]心猿:参看石屋"圆颅方服作沙门"[一四六]诗注。

[四七一]闲来扫石坐空林,澈底潭清云影沉。便向悬崖能撒手,[1]何须立雪觅安心。[2]玲珑古洞垂萝接,苍郁青松偃盖阴。[3]景在眼前人不到,红尘隔断几多深。

【注释】

[1]悬崖撒手:喻彻底放下一切执着,则本有自性自然显现。《景德传灯录》卷二十苏州永光院真禅师,上堂谓众曰:"言锋若差,乡关万里,直须悬崖撒手,自肯承当,绝后再苏,欺君不得。" 同卷江州庐山永安净悟禅师,僧问:"如何是出家底事?"师曰:"万丈悬崖撒手去。"《金刚经集注》"是故不应取法,不应取非法"句,引川禅师偈:"得树攀枝未足奇,悬崖撒手丈夫儿。水寒夜冷鱼难觅,留得空船载月归。"

[2]"何须"句:参看柟堂"我自将心与我安"[四三〇]句注。

[3]偃(yǎn):倾倒。

[四七二]蓬松两鬓缀霜毛,剪裁白云补毳袍。[1]古道就荒山寂寂,颓流莫挽水滔滔。亮公遁迹踪难觅,[2]瓒老佯狂韵已高。[3]莫道山僧贫彻骨,春来霞锦遍山桃。

【注释】

[1]毳(cuì)：鸟兽的毛。

[2]亮公：又称亮座主，马祖道一弟子。《大慧普觉禅师法语》卷二十四："昔马祖问亮座主曰：'闻汝大讲得经论，是否？'曰：'不敢。'祖又问：'将甚么讲？'曰：'将心讲。'祖曰：'心如工技儿，意如和技者，又争解讲得经？'曰：'心既讲不得，莫是虚空讲得否？'祖曰：'却是虚空讲得。'亮不肯，拂袖便行。祖遂唤云：'座主！'亮回首，豁然契悟，遂作礼而去，直入西山，别无言语可通消息，直下坐断凡圣路头。"

[3]瓒老：即懒瓒，参看石屋"清晨汲水启柴门"[一三九]诗注。

[四七三]才是朝晖又夕阳，此生须早悟空王。藏舟壑内移无迹，[1]击石光中火易忘。爆地顿教余习尽，静观方觉道芽长。忽明下载清风事，卓竖寒毛脱体凉。[2]

【注释】

[1]"藏舟壑内"句：《庄子·大宗师》："夫藏舟于壑，藏山于泽，谓之固矣，然而夜半有力者负之而走，昧者不知也。"郭象注："夫无力之力，莫大于变化者也，故乃揭天地以趋新，负山岳以舍故，故不暂停，忽已涉新，则天地万物无时而不移也。世皆新矣，而自以为故；舟日易矣，而视之若旧；山日更矣，而视之若前；今交一臂而失之，皆在冥中去矣。故向者之我，非复今我也；我与今俱往，岂常守故哉，而世莫之觉，谓今之所遇可系而在，岂不昧哉！"

[2]卓竖寒毛:全身的汗毛竖起,喻对生命流逝的警醒。《佛
本行集经》卷四十二:"时其优娄频螺、迦叶心生羞惭,身毛卓
竖,顶礼佛足。"

[四七四]钵盂柄总不须安,人法空时空不存。止泺何曾谙
水脉,[1]乘槎方许识河源。[2]鸣驺林下无逋客,[3]偷果秋来见野
猿。晏坐虚堂风冷淡,只堪自会岂堪论!

【注释】

[1]"止泺"句:泺(luò),泺水,在齐鲁之间。《五灯会元》卷
五记善会禅师语:"困鱼止泺,钝鸟栖芦。"指局于小道,如井
底之蛙。

[2]"乘槎"句:槎(chá),木筏。张华《博物志》:"旧说天河
与海相通。近有人居海渚者,年年八月有浮槎来,甚大,往反不
失期。人有奇志,立飞阁于槎上,多赍粮,乘槎而去,十余日,日
中犹观星月日辰。自后,芒芒忽忽,亦不觉昼夜。"此外,此句可
能也寓含《论语·公冶长》孔子所谓"道不行,乘桴浮于海"之
意。这两句是说,不能局限于世间的见识,须放大眼界,方能悟
明宇宙之真相。

[3]鸣驺(zōu):古代随从显贵出行并传呼喝道的骑卒,有
时也借指显贵。南朝齐孔稚圭《北山移文》:"及其鸣驺入谷,鹤
书起陇,形驰魄散,志变神动。"逋(bū)客:隐居避世之人。

[四七五]绕屋云山皆画轴,花如列锦草披毡。[1]钵擎檀舍
化来饭,[2]茗煮石边流出泉。正眼从教瞎汉灭,[3]妙心不向饮光

传。[4]随缘放旷无思算，一念虚凝已万年。

【注释】

[1]毡(zhān)，同"毡"，毛毯。

[2]檀舍：檀为"檀那"之略称，即施主之意。檀舍：施主家。

[3]瞎汉：禅宗指不明大道而盲修瞎练者。《五灯会元》卷十一："若道有，只是个瞎汉。若道无，亦是个瞎汉。不有不无，万里崖州，若向这里道得，也好与三十棒。若道不得，亦与三十棒。"

[4]"妙心"句：饮光，释迦牟尼大弟子摩诃迦叶名之意译。传说其身有金色之光，隐蔽他光，故名饮光。《联灯会要·释迦牟尼佛章》载："世尊在灵山会上，拈华示众。众皆默然，唯迦叶破颜微笑。世尊云：吾有正法眼藏，涅槃妙心，实相无相，微妙法门，不立文字，教外别传，付嘱摩诃迦叶。"此记载常被视为禅宗产生之开端。这一句是说，真正的妙心是无法传也不须传的，其本身便是"一念虚凝已万年"的超越时空境界，何来开端？故所谓付嘱与摩诃迦叶，也是一种象征性的说法而已。

[四七六]沧桑世代几升沉，往事未须感慨寻。带索高歌忘白发，[1]挥锄冷眼贱黄金。[2]但知是事元无事，不用将心去觅心。[3]十八贤人千载远，清风犹自满东林。[4]

【注释】

[1]"带索"句：刘向《新序·杂事第五》载：昔者，楚丘先生行年七十，披裘带索，往见孟尝君，欲趋不能进。孟尝君曰："先生

252

老矣,春秋高矣,何以教之?"楚丘先生曰:"噫!将我而老乎?噫!将使我追车而赴马乎?投石而超距乎?逐麇鹿而搏虎豹乎?吾已死矣,何暇老哉!噫!将使我出正辞而当诸侯乎?决嫌疑而定犹豫乎?吾始壮矣,何老之有!"孟尝君逡巡避席,面有愧色。

[2]"挥锄"句:《世说新语·德行》:管宁、华歆共园中锄菜,见地有片金,管挥锄与瓦石不异,华捉而掷去之。又尝同席读书,有乘轩冕过门者,宁读如故,歆废书出看。宁割席分坐,曰:"子非吾友也!"以上用两典,说明楚丘先生、管宁是真正的得道高人,同时引出下两句议论,使人明了何为"元无事"和"将心觅心"之意。

[3]"不用"句:佛教常用"将心觅心"喻心外求法的错误修行方法。憨山德清《大学纲目决疑》"知止而后有定,定而后能静"句注,用一个精妙的比喻说明不可"将心觅心"之旨,可以参考:"将心主静,不知求静愈切,而乱想益炽,必不能静。何以故?盖为将心觅心,转觅转远,如何得一念休息耶?以从外求入,如人叫门不开,翻与守门人作闹,闹到卒底,若真主人不见面,毕竟打闹,不得休息。若得主人从中洞开重门,则守门者亦疾走无影,而求入者真见主人,则求见之心,亦歇灭无有矣,此谓狂心歇处为静耳。"

[4]"十八贤人"两句:东晋慧远所创白莲社,开中国净土宗念佛往生西方极乐世界之先河。其中缁素之翘楚有十八人,称为十八贤。即东林慧远、西林慧永、慧持、道生、昙顺、僧睿、昙恒、道昺、昙诜、道敬、觉明、佛驮跋陀、刘程之、张野、周续之、张诠、宗炳、雷次宗等十八人。见《佛祖统纪》卷二十六。宋人作

有《东林十八高贤传》详记其事迹。

[四七七]不剃阶前棘和蓬,眠醒伸脚已高舂。[1]菴中好自调狂象,[2]世上凭他爱画龙。[3]万顷波光澄水月,无弦琴韵入松风。此时索尔心何事,殿角空悬未扣钟。

【注释】

[1]高舂:日影西斜近黄昏时。《淮南子·天文训》:"(日)至于渊虞,是谓高舂;至于连石,是谓下舂。"高诱注:"高舂,时加戌,民碓舂时也。"

[2]《大般涅槃经》卷三十一:"心轻躁动转,难捉难调。驰骋奔逸,如大恶象。"佛经中常以"狂象"喻妄心之狂迷。

[3]画龙:比喻徒有其表而无其实的事物。李贽《史纲评要·后秦纪·二世》:"沛公乃真好儒,后世好儒,好画龙耳。"《梅村诗话》卷十二引诗僧苍雪《赠方密之》诗:"山中久不见神骏,世上人多好画龙。"

[四七八]谈欢西笑向长安,拾唾随声总不干。悟后直须习漏尽,[1]情穷始得爱河干。[2]曾知祖意原无别,惟有偷心死更难。[3]新出红炉铁弹子,蓦然击碎脑门寒。

【注释】

[1]佛教将烦恼喻为"漏",至三乘的极果,用圣智断尽此种种烦恼,称为"漏尽"。这一句是说,尽管开悟了,但是烦恼和习气还没有断尽,所以仍要修行。

[2]爱河：佛教谓爱之害如河水可以溺人，故称。《正法念处经》卷四十八："境界所漂，在爱河中，爱河漂已，入生死海，流转常行，无有休已。"《楞严经》卷四："爱河干枯，令汝解脱。"爱河又特别指男女情欲。

[3]偷心：原指偷盗之心，禅宗多转指向外分别、驰求之心或侥幸之心。这一句是说，这种"偷心"乃众生与生俱来，断除是非常困难的。袁宗道《西方合论序》："偷心死尽，心华始开。"

[四七九]岭仄峰回径路遥，林间日出露稀消。泉流瀺濁心堪洗，[1]桂树连蜷隐可招。[2]苔石拂清列散坐，垂藤缚紧护危桥。闲中莫谓全无事，半日烧畬半采樵。[3]

【注释】

[1]瀺濁(chán zhuó)：水流声。

[2]连蜷：长曲貌。《文选·扬雄〈甘泉赋〉》："蛟龙连蜷于东厓兮，白虎敦圉乎昆仑。"李善注："连蜷，长曲貌也。"这两句是说，山中之泉可以洗心，桂树可以一同归隐，并不寂寞。

[3]烧畬：参看楞堂"鼠肝虫臂从他化"[四二〇]诗注。

[四八〇]原上鸲鹆不住啼，客情无限逐高低。饶他得意凌霄汉，老我无心入水泥。[1]莎草萋萋被径满，藤花簇簇压檐齐。若非栗里人相访，[2]惠远何缘过虎溪。[3]

【注释】

[1]入水泥：落入水中的泥，随之融化，喻无心之境。前一句

"凌霄汉"则指世间所谓成功者。

[2]栗里：地名，在今江西省九江市西南，陶渊明曾隐居于此。

[3]惠远即慧远。虎溪在庐山东林寺前，相传东晋高僧慧远居东林寺时，送客不过溪。一日陶渊明和道士陆修静来访，与语甚契，相送时不觉过溪，虎辄号鸣，三人大笑而别，后世视为儒释道三教亲和之象征，事载《庐山记》卷一。后人于此建三笑亭，并传有"虎溪三笑图"等。

[四八一]臧谷亡羊非一途，[1]漫言烈士异贪夫。走将逐日宁虞渴，志欲移山可惜愚。[2]千叠青峦开画嶂，一钩璧月挂珊瑚。人生无过闲中好，万事随缘且息图。

【注释】

[1]"臧谷"句：《庄子·骈拇》载，臧、谷二人牧羊，臧挟策读书，谷博塞以游，皆亡其羊。后因以为典，喻事不同而实则一。这一句与下一句皆言，以世间法来说，固有贤愚善恶之别，但从出世间法看，则大同小异，以其未能出离生死轮回之故。

[2]虞：预料。上两句用"夸父逐日"和"愚公移山"两典，其评价也异于世俗。世人多以夸父和愚公为奋斗不息、孜孜以求的典型，而在开悟者看来，实为贪欲和愚蠢的表现，不值得赞扬。

[四八二]水边林下闲道者，细把兴亡细较量。残碣只今悲岘首，[1]平台无处认梁园。[2]灰燃安国宁留焰，[3]剑拥茂陵已失尊。[4]后日视今今视昔，萋萋芳草怨王孙。[5]

【注释】

[1]岘(xiàn)首:位于湖北襄阳县南的岘山。晋羊祜任襄阳太守,有政绩。后人以其常游岘山,故于岘山立碑纪念,称"岘山碑"。参看雪峰"死生呼吸事非常"诗注。

[2]梁园:又称梁苑,西汉梁孝王的东苑。故址在今河南省开封市东南。园林规模宏大,方三百余里,宫室相连属,供游赏驰猎,后废弛。

[3]"灰燃"句:《史记·韩长孺列传》:"后坐法抵罪,蒙狱吏田甲辱安国。安国曰:'死灰独不复然(燃)乎?'田甲曰:'然即溺之。'居无何,梁内史缺,汉使使者拜安国为梁内史,起徒中为二千石。田甲亡走。"这一句是说,当年韩安国死灰复燃之焰如今又在何处?

[4]茂陵:汉武帝刘彻的陵墓。在今陕西省兴平县东北,为全国重点文物保护单位之一。《汉书·武帝纪》:"(后元二年)二月丁卯,帝崩于五柞宫,入殡于未央宫前殿。三月甲申,葬茂陵。"这一句是说,汉武帝雄才大略,但其茂陵不也久已荒废吗?

[5]王孙:王的子孙,后泛指贵族子弟。《楚辞·淮南小山〈招隐士〉》:"王孙游兮不归,春草生兮萋萋。"王夫之《通释》:"王孙,隐士也。秦汉以上,士皆王侯之裔,故称王孙。"

[四八三]莫道人身容易得,电光石火刹那间。[1]昂藏七尺非金石,[2]流浪三途几往还?[3]忘我宁知余外物,出尘不在入深山。有为一切皆剩法,[4]直到心空始是闲。

[1]电光石火：喻稍纵即逝的事物，指生命的短暂。人的一生看似很长，但在宇宙无穷的时间长河中，实在是短短的一瞬而已。

[2]昂藏：气度轩昂。

[3]三途：参看石屋"尽说修行不在迟"[二六二]诗注。

[4]剩法：大法之糟粕，非究竟法门。憨山德清《梦游集》卷十五《答许鉴湖锦衣》："若了心体寂灭，本自不动，又何行坐之可拘？苟不达自心，虽坐亦剩法耳。"

[四八四]一点尘心清不彻，隐山强半为高名。不须拨置缘虚妄，[1]正好还观念未生。[2]除却打眠并吃饭，都无圣解与凡情。百城烟水程何限，到后方知恁地平。[3]

【注释】

[1]拨置：废置。陶渊明《还旧居》："拨置且莫念，一觞聊可挥。"

[2]念未生：即禅门参悟"父母未生前本来面目"话头。佛教认为众生之本来面目即自性之光明、德用，即是法身真如，本来不生不灭，不去不来，不增不减，不垢不净。

[3]恁(nèn)：那么。"恁地平"即"那么平"。佛教认为，众生心有高下，则世间方有山丘陵谷，世间种种不平源于心之不平。对觉悟者而言，其心清净平等，毫无分别，则大地本来平直。

[四八五]抱膝岩前坐翠微，山容冉冉弄晴晖。一声清磬巢

鸟起,百尺高松野鹤归。尊者依然无法说,天人何事散花飞?曾知世宝非他觅,粲粲珠光总缀衣。[1]

【注释】

[1]"曾知世宝"两句:参看永明"达来何处更追寻"诗注。

[四八六]移住苍官岭酬止公见赠

苍崖栖托嚣远纷,山色溪声净见闻。绝学无为谁得会,此身既隐又焉文?钵空未办松花饭,侣寡应随麋鹿群。幸有邻菴太白叟,肯移杖履破重云。

[四八七]其二

金风肃肃澄氛氲,清磬徐徐出白云。病骨如松秋更瘦,幽怀邻菊晚能芬。鮏鼯同径偏相得,[1]牛马任呼总不分。[2]高挂瓢囊安稳甚,无烦为勒北山文。[3]

【注释】

[1]鮏鼯(shēng wú):鮏鼠与鼯鼠,比喻志趣相投的亲密朋友。鮏鼯又作"鮏鼬",《庄子·徐无鬼》:"夫逃虚空者,藜藿柱乎鮏鼬之迳。"这里喻指一起过着出世生活的志趣相投者。

[2]"牛马"句:参看雪峰"淡淡清风送晚凉"[四五九]诗注。

[3]"无烦"句:南齐孔稚珪作《北山移文》,假借北山(即南京钟山)山灵之口,讽刺那种表面清高实则利禄熏心的假隐士。勒:雕刻。

[四八八]雪峰佛阁追步何镜山原韵

古寺杨梅山一半,栏外迤逦群峰乱。[1]官田人去已陈迹,佛阁年深犹壮观。霜酣红树锦千层,溪带平芜练一段。[2]人事往来成古今,山体如如那曾换!

【注释】

[1]迤逦(yǐ lǐ):同"迤逦",形容山的曲折连绵。

[2]"溪带"句:是说溪水清澈如同一道白练。谢朓《晚登三山还望京邑》:"余霞散成绮,澄江静如练。"

[四八九]雪峰雨后

冻雨乍收阴晴半,霜叶从风飞历乱。岑楼兀兀坐跏趺,妙香寂寂闻鼻观。山禽不断响钩辀,[1]俗客无缘乘款段。[2]岩畔梅花冷看人,一任流年暗中换。

【注释】

[1]钩辀(zhōu):鹧鸪鸣声。韩愈《杏花》:"鹧鸪钩辀猿叫歇,杳杳深谷攒青枫。"《梦溪笔谈》卷十四:"欧阳文忠常爱林逋诗'草泥行郭索,云木叫钩辀'之句,文忠以谓语新而属对亲切。钩辀,鹧鸪声也。"

[2]款段:原指马行迟缓貌,后亦借指马。刘湾《对雨愁闷寄钱大郎中》:"龙钟驱款段,到处倍思君。"

自　跋

　　高僧山居诗是中国佛教文学的一个独特的门类。自中唐以来,伴随禅宗的兴盛,在禅门那种任运自在而又遗世独立的独特观念影响下,一批又一批的禅僧走向山林,过着隐居修道的生活,尤其是生逢乱世(特别是改朝换代之际),所谓"逃禅"——隐居山林成为很多僧人的一种选择,这种情况一直持续到清代和民国年间。在长达千余年的时间里,这些隐居修道的禅僧中涌现出许多高僧,如本书所选永明延寿、中峰明本、憨山德清等人,都堪称中国佛教史上最杰出的人物。他们不仅以深湛的佛学修养和禅定功夫赢得世人的敬仰,也将其远离尘世的山居生活用诗歌的形式记录下来,这些作品或描摹山间景色,或抒写个人心境,或阐发佛理,或阅世观史,其诗境多幽远清淡而又通俗易懂,格高韵长。

　　长期以来,这些山居诗埋没在数量庞大的禅宗语录、僧人的诗文作品集中,似无人做过系统的挖掘和整理。民国年间,一位名叫忏庵居士的学佛者编辑了一部《高僧山居诗》及其《续编》,1934年由商务印书馆出版,这应是首次用"高僧山居诗"这一名称将这些作品汇集在一起的一个重要选本,但这位忏庵居士的真名却无从考索。其中《高僧山居诗》汇集了唐代诗僧贯休至清代禅僧雪峰等七位僧人的山居诗,《续编》则收录了无见睹、三峰藏等十三位僧人的山居诗,正、续编的文字量大致相当。江苏广陵古籍刻印社1997年将正、续编合为一册影印出版,也仅仅薄薄的一本,印刷了1000册,当下一般读者已很难见到此书。十余年前,我偶然在书店买到这本薄薄的小书,此后便时常翻阅、吟咏,每每受书中一两句警醒的诗句的启发而若有所思、若有所悟。在阅读过程中,我体会到,很多山居诗,看似平易,但所蕴义理却极为深厚,不易读懂,而一旦读懂,便会有妙趣无尽之感。但我阅读时也时常感到某种障碍,来自文字上、用典上、所蕴佛理方面等等,渐渐萌生出为这些山居诗做注释的想法。但限于学力和时间,直到最近一两年才开始付诸实施。这一次,仅仅据广陵古籍刻印社影印本,对《高僧山居诗》进行了录入和注释,假以时日,也拟完成对《高僧山居诗续编》的注释。

本书注释的方法是:将注与释合为一体,不作严格区分,当注则注,当释则释;该详则详,该略则略,以揭示诗歌所表达的佛禅之理为主要目的。还有一些异文涉及对诗意的理解,也适当参考其他相关资料作了校对,但并不以校对为目的。总之,注、释、校都不是目的,目的是求得理解。比如永明延寿"祇园闲适乐箪瓢"[〇二七]一句,注释是这样的:

祇,依《全宋诗》第一册第19页。《全唐诗补编》此句"祇园"作"只(祇)图",应是形近之讹。祇(qí)园,全称"祇树给孤独园",印度佛教圣地之一,释迦牟尼曾长期在此宣讲佛法,后用来代指佛寺。箪瓢用孔子弟子颜回事,即《论语·雍也》所说:"一箪食,一瓢饮,在陋巷,人不堪其忧,回也不改其乐。贤哉回也!"这句诗体现出永明禅师融汇儒释两教的精神,即:佛寺中的闲适生活与孔颜之乐是相通的。如作"只图"则缺乏了这层含义,且"只图"本身就包含了一种攀缘的意味,与禅师思想不合。

这里面就既有注,也有释,也有校,读者举一反三即可。

此外,山居诗一般都没有标题,原书也未做列次。为了方便读者阅读和查找,这次整理时在每首诗前加上一个序列数字,可以看到,本书收入七位高僧的山居诗共计四百八十九首。这样,每日阅读一两首,这本书大致可以读上一年吧。

天津无山,夏季又烈日炎炎,闷热得很。但我在阅读和注释这本《高僧山居诗》时,却随时恍如身处深山之中,内心常觉清凉、安宁。注释此书时正值炎热的夏天,我的房间甚至没有怎么开过空调,或许这就是所谓"心静自然凉"的道理吧。我要说的是,这是一种真真实实的感觉,绝非故作高深,它深刻证明佛教所说的"万法唯心所造"的道理。也许有人会说:你那只是一种感觉而已,天不还是照样热吗?但我要问一问:有感觉还不够吗?你在有空调的房间里觉得凉爽,不也只是一种感觉吗?空调真的能把世界的温度降下来吗?如果一本书竟然有和空调差不多的作用,不也是一件让人欣喜的事吗?至少,它的成本比空调要小得多,副作用也比空调小得多。愿我的这种感觉能传递给每一个读到此书的朋友,则心满意足矣。

最后,请允许我抄录一段书中的注释作为结尾:第〇九八首石屋"而今随例庵居者,见道忘山似不曾"一句,所作注释是:批评一些"随例"隐居山林者,身处山林而心不能清净,即不能见道忘山。"见道忘山"语出自唐代永嘉禅师《禅宗永嘉集》:"若未识道而先居山者,但见其山,必忘其道;若未居山而先识道者,但见其道,必忘其山。忘山则道性怡神,忘道则山形眩目。是以见道忘山者,人间亦寂也;见山忘道者,山中乃喧也。"是的,现实生活中有没有山其实并不重要,换句话说,我们未必真的一定要隐居到山林中,重要的是,我们能否心中有山,乃至见道忘山。也许,这就是高僧山居诗给予我们这些生活在现代大都市中的人们最大的启发吧?

　　　　　　　　　　张培锋跋于津门聆锺室